Molière
Le Médecin malgré lui

Appareil pédagogique par
Armelle Darmor

Lexique établi par
Josiane Grinfas

Classiques & Patrimoine

MAGNARD

Présentation :
l'auteur, l'œuvre et son contexte

Le Médecin malgré lui
de Molière

Étude de l'œuvre :
séances

LECTURE, ÉTUDE DE LA LANGUE, EXPRESSION
Notions littéraires : La scène d'exposition
Méthode : Comment aborder un dialogue de théâtre

LECTURE, ÉTUDE DE LA LANGUE, EXPRESSION, PATRIMOINE
Histoire des arts : La farce (française) sous Louis XIV
Méthode : Le quiproquo : savoir l'analyser, savoir le fabriquer

Sommaire

Présentation : l'auteur, l'œuvre et son contexte

Molière (1622-1673)

Molière, pseudonyme de Jean-Baptiste Poquelin, est le dramaturge français le plus célèbre et le plus joué dans le monde.

Fils et petit-fils de marchands, il fonde à 21 ans la troupe « L'Illustre théâtre » qui est un échec à Paris et le mène en prison pour dettes. De 1645 à 1658, la troupe part en province et présente des farces et autres pièces du répertoire de l'époque, dans des châteaux ou des hôtels particuliers, devant des ducs, des gouverneurs, des bourgeois, etc. Molière et ses amis retournent à Paris en 1658 et, après avoir réussi à faire rire Louis XIV en représentant *Le Docteur amoureux*, ils obtiennent en 1660 le droit de s'installer au Palais-Royal.

Protégé par le roi qui le charge de divertir la cour, Molière organise des spectacles fastueux qui parfois réunissent sur scène plus de trois cents artistes !

Devenu riche et célèbre, il écrit une série de chef-d'œuvres, en particulier *Dom Juan* (1665), *Le Misanthrope* (1666), *Le médecin malgré lui* (1666), *L'Avare* (1668) et *Tartuffe ou l'imposteur* (1669). Cette dernière pièce, satire de l'hypocrisie religieuse, crée un immense scandale puis est interdite. À partir de là, par prudence, Molière n'attaquera plus directement la religion. Souffrant depuis des années d'une maladie pulmonaire, il meurt en 1673, quelques heures après la quatrième représentation d'une comédie-ballet, *Le Malade imaginaire*.

• L'auteur et la farce

Dans sa jeunesse, dans les années 1630, Molière a vu jouer au centre de Paris les grands bateleurs et farceurs français (Tabarin, voir p. 78) et il interpréta lui-même quantité de rôles comiques avec L'Illustre théâtre pendant les treize années (1645-1658) durant lesquelles la troupe se produisit devant les élites bourgeoises et aristocratiques de province.

La façon de jouer de Molière est connue par divers témoignages. Plutôt petit et trapu, l'acteur comique possédait une forte présence sur scène, marchait en canard, multipliait les acrobaties, faisait d'innombrables mimiques (grimaces, roulements d'yeux) et utilisait une voix aiguë entrecoupée de hoquets. Il demandait à ses comédiens de jouer avec naturel mais lui, par contraste, interprétait ses propres personnages ridicules en leur ôtant toute vraisemblance.

• Molière et la médecine

Le thème du médecin pédant et charlatan s'inscrit dans une série – le *Médecin volant* (1659), *Le Fagotier* (1661), *Le Fagoteux* (1663), *Le Médecin par force* (1664), *L'Amour médecin* (1665) – qui s'achève avec *Le Médecin malgré lui* (1666). Ensuite, dans *Le Malade imaginaire* (1673), c'est plutôt à l'illusion d'être malade et à l'obsession d'être soigné (« la maladie des médecins », III, 3) que s'intéressa Molière.

Sous Louis XIV, le corps médical bénéficiait d'un grand respect et d'un grand pouvoir social. La cour fourmillait de robes noires et de bonnets pointus. Le roi avait à son service : un premier médecin, huit médecins de quartier, un anatomiste, un médecin-mathématicien, quatre médecins-alchimistes, soixante-six médecins consultants… Molière lui-même avait son médecin personnel, M. de Mauvillain, deux fois exclu de la faculté de Paris en raison de son esprit subversif.

Présentation : l'auteur, l'œuvre et son contexte

Le Médecin malgré lui (1666)

Le 4 juin 1666 est présenté au Palais-Royal *Le Misanthrope*, comédie sérieuse en cinq actes et en vers ; Molière, célèbre comme acteur comique, y interprète un personnage insociable et triste dénonçant l'hypocrisie humaine. La pièce déplaît au public. Dès le 6 août est mise à l'affiche en alternance une nouvelle pièce, *Le Médecin malgré lui*, comédie-farce en trois actes qui est un triomphe. Le contraste entre les deux comédies amuse tout Paris ; elles sont imprimées ensemble le 24 décembre 1666.

Le Médecin malgré lui, inspiré d'un récit médiéval intitulé *Le Paysan médecin*, n'a pas été totalement composée d'urgence

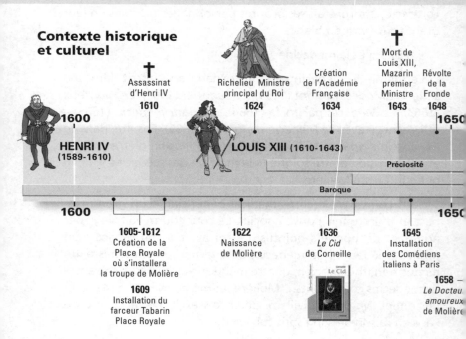

Contexte historique et culturel

✝ Assassinat d'Henri IV
1610

Richelieu Ministre principal du Roi
1624

Création de l'Académie Française
1634

✝ Mort de Louis XIII, Mazarin premier Ministre
1643

Révolte de la Fronde
1648

1600

HENRI IV (1589-1610)

LOUIS XIII (1610-1643)

1650

Préciosité

Baroque

1600

1650

1605-1612 Création de la Place Royale où s'installera la troupe de Molière

1609 Installation du farceur Tabarin Place Royale

1622 Naissance de Molière

1636 *Le Cid* de Corneille

Le Cid

1645 Installation des Comédiens italiens à Paris

1658 — *Le Docteur amoureux* de Molière

en quelques semaines. L'Illustre théâtre avait déjà représenté le 14 septembre 1661 (registre de La Grange) une farce en un acte nommée *Le Fagotier*, qui, sûrement remaniée, fut reprise le 20 avril 1663 sous le titre *Le Fagoteux* et une troisième fois le 9 septembre 1664 sous le titre *Le Médecin par force*. Pendant l'été 1666, Molière a donc « simplement » repris un texte déjà longuement travaillé et l'a réécrit en lui adjoignant deux actes de comédie (intrigue Léandre-Lucinde). Les trois farces ou versions précédentes du *Médecin malgré lui* sont cependant aujourd'hui perdues.

La postérité du *Médecin malgré lui* est considérable ; avec *Tartuffe* et *L'Avare*, c'est l'œuvre qui est le plus souvent mise en scène par la Comédie-Française (plus de 2000 représentations depuis 1680) et dans le monde.

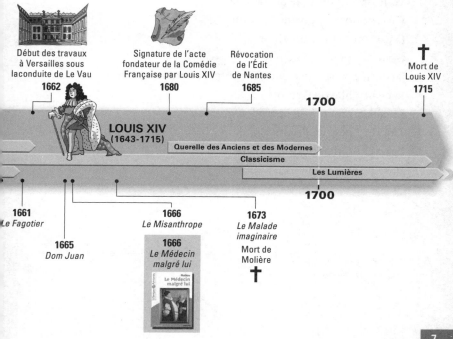

Début des travaux à Versailles sous la conduite de Le Vau
1662

Signature de l'acte fondateur de la Comédie Française par Louis XIV
1680

Révocation de l'Édit de Nantes
1685

1700

† Mort de Louis XIV
1715

LOUIS XIV (1643-1715)

Querelle des Anciens et des Modernes

Classicisme

Les Lumières

1700

1661 Le Fagotier

1665 Dom Juan

1666 Le Misanthrope

1666 Le Médecin malgré lui

1673 Le Malade imaginaire

Mort de Molière †

Le Médecin malgré lui
de Molière

Comédie
Représentée pour la première fois à Paris sur le théâtre du Palais-Royal le vendredi 6e du mois d'août 1666 par la Troupe du Roi

PERSONNAGES

Sganarelle : mari de Martine

Martine : femme de Sganarelle

M. Robert : voisin de Sganarelle

Valère : domestique de Géronte

Lucas : mari de Jacqueline

Géronte : père de Lucinde

Jacqueline : nourrice chez Géronte, et femme de Lucas

Lucinde : fille de Géronte

Léandre : amant[1] de Lucinde

Thibaut : père de Perrin

Perrin : fils de Thibaut, paysan

Vocabulaire
1. *Amant :* amoureux.

Acte I

Scène 1

SGANARELLE, MARTINE, *paraissant sur le théâtre
en se querellant*[1].

SGANARELLE – Non, je te dis que je n'en veux rien faire, et que c'est à moi de parler et d'être le maître.

MARTINE – Et je te dis, moi, que je veux que tu vives à ma fantaisie[2], et ne je ne me suis point mariée avec toi pour souffrir tes fredaines[3].

SGANARELLE – Ô la grande fatigue que d'avoir une femme! et qu'Aristote[4] a bien raison, quand il dit qu'une femme est pire qu'un démon!

MARTINE – Voyez un peu l'habile[5] homme, avec son benêt[6] d'Aristote!

SGANARELLE – Oui, habile homme : trouve-moi un faiseur de fagots[7] qui sache, comme moi, raisonner des choses[8], qui

---

Vocabulaire

1. *En se querellant :* en se disputant.
2. *À ma fantaisie :* comme je le veux.
3. *Souffrir tes fredaines :* supporter tes caprices.
4. *Aristote :* célèbre savant grec de l'Antiquité. La citation sur les femmes est inventée par Sganarelle.

5. *Habile :* savant, docte.
6. *Benêt :* idiot.
7. *Un faiseur de fagots :* un bûcheron
8. *Raisonner des choses :* réfléchir sur les choses.

ait servi six ans un fameux médecin, et qui ait su, dans son
15 jeune âge, son rudiment[1] par cœur.

Martine – Peste du fou fieffé[2] !

Sganarelle – Peste de la carogne[3] !

Martine – Que maudit soit l'heure et le jour où je m'avisai
d'aller dire oui[4] !

20 **Sganarelle** – Que maudit soit le bec cornu[5] de notaire qui me
fit signer ma ruine[6] !

Martine – C'est bien à toi, vraiment, à te plaindre de cette
affaire. Devrais-tu être un seul moment sans rendre grâce
au Ciel de m'avoir pour ta femme ? et méritais-tu d'épouser
25 une personne comme moi ?

Sganarelle – Il est vrai que tu me fis trop d'honneur, et que
j'eus lieu de me louer[7] la première nuit de nos noces ! Hé !
morbleu ! ne me fais point parler là-dessus : je dirais de certaines choses...

30 **Martine** – Quoi ? que dirais-tu ?

Vocabulaire

1. *Rudiment :* livret d'initiation au latin. Sganarelle a donc appris un peu de latin puis a servi quelques années d'assistant à un vrai médecin diplômé avant de devenir bûcheron.
2. *Fieffé :* au plus haut degré.
3. *Carogne :* pourriture.
4. *Je m'avisai d'aller dire oui :* j'acceptai de me marier.

5. *Bec cornu :* bouc cornu (de l'italien becco cornuto).
6. *Ma ruine :* mon contrat de mariage.
7. *J'eus lieu de me louer :* J'ai eu l'occasion de me féliciter. L'expression est ironique ; Sganarelle laisse entendre au contraire qu'il a un mauvais souvenir de sa nuit de noces.

SGANARELLE – Baste[1], laissons là ce chapitre. Il suffit que nous savons ce que nous savons, et que tu fus bien heureuse de me trouver[2].

35 MARTINE – Qu'appelles-tu bien heureuse de te trouver? Un homme qui me réduit à l'hôpital[3], un débauché, un traître, qui me mange tout ce que j'ai?

SGANARELLE – Tu as menti : j'en bois une partie.

MARTINE – Qui me vend, pièce à pièce[4], tout ce qui est dans le logis.

40 SGANARELLE – C'est vivre de ménage[5].

MARTINE – Qui m'a ôté jusqu'au lit que j'avais.

SGANARELLE – Tu t'en lèveras plus matin[6].

MARTINE – Enfin qui ne laisse aucun meuble dans toute la maison.

45 SGANARELLE – On en déménage plus aisément[7].

MARTINE – Et qui, du matin jusqu'au soir, ne fait que jouer et que boire.

SGANARELLE – C'est pour ne me point ennuyer.

MARTINE – Et que veux-tu, pendant ce temps, que je fasse avec
50 ma famille?

Vocabulaire
1. *Baste :* ça suffit (de l'italien *basta*).
2. *Me trouver :* m'épouser.
3. *À l'hôpital :* à la misère.
4. *Pièce à pièce :* progressivement. Sganarelle paie ses dettes en vendant ses meubles.
5. *Vivre de ménage :* vivre en faisant le ménage. L'expression signifiait aussi à l'époque : vivre en faisant des économies.
6. *Plus matin :* plus tôt.
7. *Aisément :* facilement.

SGANARELLE – Tout ce qu'il te plaira.

MARTINE – J'ai quatre pauvres petits enfants sur les bras.

SGANARELLE – Mets-les à terre.

MARTINE – Qui me demandent à toute heure du pain.

55 SGANARELLE – Donne-leur le fouet[1] : quand j'ai bien bu et bien mangé, je veux que tout le monde soit saoul[2] dans ma maison.

MARTINE – Et tu prétends, ivrogne, que les choses aillent toujours de même ?

60 SGANARELLE – Ma femme, allons tout doucement, s'il vous plaît.

MARTINE – Que j'endure éternellement tes insolences et tes débauches ?

SGANARELLE – Ne nous emportons point, ma femme.

MARTINE – Et que je ne sache pas trouver le moyen de te ranger
65 à ton devoir ?

SGANARELLE – Ma femme, vous savez que je n'ai pas l'âme endurante[3], et que j'ai le bras assez bon.

MARTINE – Je me moque de tes menaces.

SGANARELLE – Ma petite femme, ma mie[4], votre peau vous
70 démange, à votre ordinaire[5].

Vocabulaire

1. *Le fouet :* des coups de fouet.
2. *Saoul :* rassasié.
3. *Je n'ai pas l'âme endurante :* je manque de patience.
4. *Ma mie :* mon amie.
5. *À votre ordinaire :* comme d'habitude.

MARTINE – Je te montrerai bien que je ne te crains nullement.

SGANARELLE – Ma chère moitié, vous avez envie de me dérober[1] quelque chose.

MARTINE – Crois-tu que je m'épouvante de tes paroles ?

75 **SGANARELLE** – Doux objet de mes vœux, je vous frotterai les oreilles.

MARTINE – Ivrogne que tu es !

SGANARELLE – Je vous battrai.

MARTINE – Sac à vin !

80 **SGANARELLE** – Je vous rosserai[2].

MARTINE – Infâme !

SGANARELLE – Je vous étrillerai[3].

MARTINE – Traître, insolent, trompeur, lâche, coquin, pendard, gueux, belître, fripon, maraud, voleur… !

85 **SGANARELLE**, *il prend un bâton et lui en donne* – Ah ! vous en voulez donc ?

MARTINE – Ah ! ah, ah, ah !

SGANARELLE – Voilà le vrai moyen de vous apaiser.

Vocabulaire
1. *De me dérober* : de m'obliger à vous donner.
2. *Rosserai* : battrai fort.
3. *Étrillerai* : battrai violemment.

Le Médecin malgré lui

Scène 2

M. Robert, Sganarelle, Martine

M. Robert – Holà, holà, holà! Fi[1]! Qu'est-ce ci? Quelle infamie! Peste soit le coquin, de battre ainsi sa femme!

Martine, *les mains sur les côtés, lui parle en le faisant reculer, et à la fin lui donne un soufflet[2].* – Et je veux qu'il me batte, moi.

M. Robert – Ah! j'y consens de tout mon cœur.

Martine – De quoi vous mêlez-vous?

M. Robert – J'ai tort.

Martine – Est-ce là votre affaire?

M. Robert – Vous avez raison.

Martine – Voyez un peu cet impertinent, qui veut empêcher les maris de battre leurs femmes.

M. Robert – Je me rétracte[3].

Martine – Qu'avez-vous à voir là-dessus?

M. Robert – Rien.

Martine – Est-ce à vous d'y mettre le nez?

M. Robert – Non.

Martine – Mêlez-vous de vos affaires.

M. Robert – Je ne dis plus mot.

Vocabulaire

1. *Fi!* : interjection marquant la désapprobation.

2. *Un soufflet* : une gifle.

3. *Je me rétracte* : je retire ce que j'ai dit.

MARTINE – Il me plaît d'être battue.

M. ROBERT – D'accord.

MARTINE – Ce n'est pas à vos dépens[1].

110 **M. ROBERT** – Il est vrai.

MARTINE – Et vous êtes un sot de venir vous fourrer où vous n'avez que faire.

M. ROBERT. *Il passe ensuite vers le mari, qui pareillement lui parle toujours en le faisant reculer, le frappe avec le même bâton et* 115 *le met en fuite; il dit à la fin : –* Compère[2], je vous demande pardon de tout mon cœur. Faites, rossez, battez, comme il faut, votre femme; je vous aiderai, si vous le voulez.

SGANARELLE – Il ne me plaît pas, moi.

M. ROBERT – Ah! c'est une autre chose.

120 **SGANARELLE** – Je la veux battre, si je le veux; et ne la veux pas battre, si je ne le veux pas.

M. ROBERT – Fort bien.

SGANARELLE – C'est ma femme, et non pas la vôtre.

M. ROBERT – Sans doute.

125 **SGANARELLE** – Vous n'avez rien à me commander.

M. ROBERT – D'accord.

SGANARELLE – Je n'ai que faire de votre aide.

Vocabulaire
1. *À vos dépens :* à vos frais.   2. *Compère :* camarade, compagnon.

Le Médecin malgré lui

M. Robert – Très volontiers.

Sganarelle – Et vous êtes un impertinent, de vous ingérer[1] des
130 affaires d'autrui. Apprenez que Cicéron[2] dit qu'entre l'arbre
et le doigt il ne faut point mettre l'écorce. *(Ensuite il revient
vers sa femme, et lui dit, en lui pressant la main :)* Ô çà, faisons
la paix nous deux. Touche là[3].

Martine – Oui! après m'avoir ainsi battue!

135 Sganarelle – Cela n'est rien, touche.

Martine – Je ne veux pas.

Sganarelle – Eh!

Martine – Non.

Sganarelle – Ma petite femme!

140 Martine – Point.

Sganarelle – Allons, te dis-je.

Martine – Je n'en ferai rien.

Sganarelle – Viens, viens, viens.

Martine – Non : je veux être en colère.

145 Sganarelle – Fi! c'est une bagatelle[4]. Allons, allons.

Martine – Laisse-moi là.

Vocabulaire
1. *Ingérer :* mêler.
2. *Cicéron :* célèbre orateur latin du Ier siècle avant Jésus-Christ. La citation sur l'écorce est inventée par Sganarelle.
3. *Touche là :* touche ma main en signe de réconciliation.
4. *C'est une bagatelle :* ce n'est rien.

Sganarelle – Touche, te dis-je.

Martine – Tu m'as trop maltraitée.

Sganarelle – Eh bien va, je te demande pardon : mets là ta
150   main.

Martine – Je te pardonne *(elle dit le reste bas)* ; mais tu le payeras.

Sganarelle – Tu es une folle de prendre garde à cela : ce sont
petites choses qui sont de temps en temps nécessaires dans
l'amitié[1] ; et cinq ou six coups de bâton, entre gens qui s'ai-
155   ment, ne font que ragaillardir[2] l'affection. Va, je m'en vais au
bois, et je te promets aujourd'hui plus d'un cent de fagots.

Scène 3

Martine, *seule* – Va, quelque mine que je fasse, je n'oublie pas
mon ressentiment[3] ; et je brûle[4] en moi-même de trouver
les moyens de te punir des coups que tu me donnes. Je sais
160   bien qu'une femme a toujours dans les mains[5] de quoi se
venger d'un mari ; mais c'est une punition trop délicate pour
mon pendard : je veux une vengeance qui se fasse un peu
mieux sentir ; et ce n'est pas contentement[6] pour l'injure
que j'ai reçue.

Vocabulaire

1. *L'amitié :* l'amour.
2. *Ragaillardir :* raviver, réveiller.
3. *Mon ressentiment :* mon désir de vengeance.
4. *Je brûle :* j'ai hâte.
5. *Dans les mains :* à sa disposition.
6. *Contentement :* assez.

Le Médecin malgré lui

Scène 4

VALÈRE, LUCAS, MARTINE

165 LUCAS – Parguenne! j'avons pris là tous deux une guèble de commission; et je ne sais pas, moi, ce que je pensons attraper[1].

VALÈRE – Que veux-tu, mon pauvre nourricier[2]? il faut bien obéir à nôtre maître; et puis nous avons intérêt, l'un et l'autre, à la
170 santé de sa fille, notre maîtresse; et sans doute son mariage, différé[3] par sa maladie, nous vaudrait quelque récompense. Horace, qui est libéral[4], a bonne part aux prétentions qu'on peut avoir sur sa personne[5]; et quoiqu'elle ait fait voir de l'amitié pour un certain Léandre, tu sais bien que son père
175 n'a jamais voulu consentir à le recevoir pour son gendre[6].

MARTINE, *rêvant à part elle* – Ne puis-je point trouver quelque invention pour me venger?

LUCAS – Mais quelle fantaisie s'est-il boutée[7] là dans la tête, puisque les médecins y avont tous pardu leur latin?

180 VALÈRE – On trouve quelquefois, à force de chercher, ce qu'on ne trouve pas d'abord; et souvent, en de simples lieux[8]...

Vocabulaire

1. *Je pensons attraper* : nous pouvons espérer trouver.
2. *Nourricier* : mari d'une nourrice.
3. *Différé* : retardé.
4. *Qui est libéral* : qui est généreux financièrement.
5. *À bonne part aux prétentions qu'on peut avoir sur sa personne* : est bien placé pour épouser Lucinde.

6. *Consentir à le recevoir pour son gendre* : accepter qu'il épouse sa fille.
7. *Boutée* : fourrée.
8. *De simples lieux* : des endroits quelconques, fréquentés par des gens pauvres.

MARTINE – Oui, il faut que je m'en venge à quelque prix que ce soit : ces coups de bâton me reviennent au cœur, je ne les saurais[1] digérer, et… *(Elle dit tout ceci en rêvant, de sorte*
185 *que ne prenant pas garde à ces deux hommes, elle les heurte en se retournant, et leur dit :)* Ah! Messieurs, je vous demande pardon; je ne vous voyais pas, et cherchais dans ma tête quelque chose qui m'embarrasse.

VALÈRE – Chacun a ses soins[2] dans le monde, et nous cher-
190 chons aussi ce que nous voudrions bien trouver.

MARTINE – Serait-ce quelque chose où je vous puisse aider?

VALÈRE – Cela se pourrait faire; et nous tâchons de rencontrer quelque habile homme, quelque médecin particulier, qui pût donner quelque soulagement à la fille notre maître,
195 attaquée d'une maladie qui lui a ôté tout d'un coup l'usage de la langue. Plusieurs médecins ont déjà épuisé toute leur science après elle : mais on trouve parfois des gens avec des secrets admirables, de certains remèdes particuliers, qui font le plus souvent ce que les autres n'ont su faire; et c'est là ce
200 que nous cherchons.

MARTINE *(Elle dit ces premières lignes bas.)* – Ah! que le Ciel m'inspire une admirable invention pour me venger de mon pendard! *(Haut.)* Vous ne pouviez jamais vous mieux adresser pour rencontrer ce que vous cherchez; et nous avons ici

---

Vocabulaire
1. *Saurais :* pourrais.   **2.** *Soins :* soucis.

205   un homme, le plus merveilleux homme du monde, pour les maladies désespérées.

VALÈRE – Et de grâce[1], où pouvons-nous le rencontrer ?

MARTINE – Vous le trouverez maintenant vers ce petit lieu que voilà, qui s'amuse à couper du bois.

210 **LUCAS** – Un médecin qui coupe du bois !

VALÈRE – Qui s'amuse à cueillir des simples[2], voulez-vous dire ?

MARTINE – Non : c'est un homme extraordinaire qui se plaît à cela, fantasque, bizarre, quinteux[3], et que vous ne prendriez jamais pour ce qu'il est. Il va vêtu d'une façon extravagante,
215   affecte[4] quelquefois de paraître ignorant, tient sa science renfermée, et ne fuit rien tant tous les jours que[5] d'exercer les merveilleux talents qu'il a eus du Ciel pour la médecine.

VALÈRE – C'est une chose admirable, que tous les grands hommes ont toujours du caprice, quelque petit grain de
220   folie mêlé à leur science.

MARTINE – La folie de celui-ci est plus grande qu'on ne peut croire, car elle va parfois jusqu'à vouloir être battu pour demeurer d'accord de sa capacité[6] ; et je vous donne avis[7] que vous n'en viendrez point à bout, qu'il n'avouera jamais

---

Vocabulaire

1. *De grâce :* je vous prie.
2. *Des simples :* des plantes médicinales.
3. *Quinteux :* capricieux.
4. *Affecte :* fait semblant.

5. *Ne fuit rien tant tous les jours que :* évite surtout tous les jours le fait.
6. *Pour demeurer d'accord de sa capacité :* pour qu'il reconnaisse ses compétences de médecin.
7. *Je vous donne avis :* vous préviens.

225 qu'il est médecin, s'il se le met en fantaisie[1], que vous ne pre-
niez chacun un bâton, et ne le réduisiez[2], à force de coups,
à vous confesser à la fin ce qu'il vous cachera d'abord. C'est
ainsi que nous en usons[3] quand nous avons besoin de lui.

VALÈRE – Voilà une étrange folie!

230 **MARTINE** – Il est vrai; mais, après cela, vous verrez qu'il fait
des merveilles.

VALÈRE – Comment s'appelle-t-il?

MARTINE – Il s'appelle Sganarelle; mais il est aisé à connaître :
c'est un homme qui a une large barbe[4] noire, et qui porte
235 une fraise[5], avec un habit jaune et vert.

LUCAS – Un habit jaune et vert! C'est donc le médecin des
perroquets?

VALÈRE – Mais est-il bien vrai qu'il soit si habile que vous le
dites?

240 **MARTINE** – Comment? C'est un homme qui fait des miracles. Il
y a six mois qu'une femme fut abandonnée de tous les autres
médecins : on la tenait morte il y avait déjà six heures[6], et
l'on se disposait à l'ensevelir[7], lorsqu'on y fit venir de force

---

Vocabulaire

1. *S'il se le met en fantaisie :* s'il lui en
prend la fantaisie.
2. *Réduisiez :* forciez.
3. *Nous en usons :* nous agissons.
4. *Barbe :* Le mot désignait alors des
moustaches. Molière portait sur scène
de longues moustaches tombantes,
comme Scaramouche (voir image sur
le rabat de couverture).

5. *Fraise :* large collerette plissée qui
était à la mode sous Louis XIII (voir
image p. 77).
6. *On la tenait morte il y avait déjà
six heures :* il y avait déjà six heures
qu'on la pensait morte.
7. *On se disposait à l'ensevelir :* on se
préparait à l'enterrer.

245 l'homme dont nous parlons. Il lui mit, l'ayant vue, une petite goutte de je ne sais quoi dans la bouche, et, dans le même instant, elle se leva de son lit, et se mit aussitôt à se promener dans sa chambre, comme si de rien n'eût été.

LUCAS – Ah !

VALÈRE – Il fallait que ce fût quelque goutte d'or potable[1].

250 MARTINE – Cela pourrait bien être. Il n'y a pas trois semaines encore qu'un jeune enfant de douze ans tomba du haut du clocher en bas, et se brisa, sur le pavé, la tête, les bras et les jambes. On n'y eut pas plus tôt amené notre homme, qu'il le frotta par tout le corps d'un certain onguent[2] qu'il
255 sait faire ; et l'enfant aussitôt se leva sur ses pieds, et courut jouer à la fossette[3].

LUCAS – Ah !

VALÈRE – Il faut que cet homme-là ait la médecine universelle[4].

MARTINE – Qui en doute ?

260 LUCAS – Testigué ! velà justement l'homme qu'il nous faut. Allons vite le chercher.

VALÈRE – Nous vous remercions du plaisir que vous nous faites.

MARTINE – Mais souvenez-vous bien au moins de l'avertissement[5] que je vous ai donné.

Vocabulaire
1. *Or potable* : boisson contenant des paillettes d'or.
2. *Onguent* : pommade.
3. *À la fossette* : aux billes.
4. *La médecine universelle* : le remède qui guérit tout.
5. *De l'avertissement* : du conseil.

265 Lucas – Eh, morguenne! laissez-nous faire : s'il ne tient qu'à battre, la vache est à nous[1].

Valère – Nous sommes bien heureux d'avoir fait cette rencontre; et j'en conçois, pour moi, la meilleure espérance du monde.

Scène 5

Sganarelle, Valère, Lucas

270 Sganarelle *entre sur le théâtre en chantant et tenant une bouteille.* – La, la, la.

Valère – J'entends quelqu'un qui chante, et qui coupe du bois.

Sganarelle – La, la, la… Ma foi, c'est assez travaillé pour un coup. Prenons un peu d'haleine[2]. *(Il boit, et dit après avoir* 275 *bu :)* Voilà du bois qui est salé[3] comme tous les diables.

> Qu'ils sont doux,
> Bouteille jolie,
> Qu'ils sont doux
> Vos petits glou-gloux!
280 > Mais mon sort ferait bien des jaloux,
> Si vous étiez toujours remplie.
> Ah! bouteille, ma mie,
> Pourquoi vous videz-vous[4]?

Vocabulaire

1. *La vache est à nous :* l'affaire est faite.
2. *Prenons un peu d'haleine :* reposons-nous.
3. *Qui est salé :* qui donne soif.

4. Cette chansonnette était mise en musique par l'italien Giambattista Lulli (1632-1687), collaborateur de Molière.

Le Médecin malgré lui

Allons, morbleu! il ne faut point engendrer de mélancolie[1].

285 VALÈRE – Le voilà lui-même.

LUCAS – Je pense que vous dites vrai, et que j'avons bouté[2] le nez dessus.

VALÈRE – Voyons de près.

SGANARELLE, *les apercevant, les regarde, en se tournant vers l'un* 290 *et puis vers l'autre, et, abaissant la voix, dit* : – Ah! ma petite friponne! que je t'aime, mon petit bouchon!

… Mon sort… ferait… bien des… jaloux,

Si…

Que diable! à qui en veulent ces gens-là?

295 VALÈRE – C'est lui assurément…

LUCAS – Le velà tout craché comme on nous l'a défiguré[3].

SGANARELLE, *à part.*

(Ici il pose sa bouteille à terre, et Valère se baissant pour le saluer, comme il croit que c'est à dessein de la prendre, il la met de 300 *l'autre côté; ensuite de quoi, Lucas faisant la même chose, il la reprend et la tient centre son estomac, avec divers gestes qui font un grand jeu de théâtre.)*

Ils consultent[4] en me regardant. Quel dessein[5] auraient-ils?

Vocabulaire
1. *Engendrer de mélancolie* : être triste.
2. *Bouté* : mis.
3. *Défiguré* : décrit.
4. *Consultent* : discutent.
5. *Dessein* : projet.

VALÈRE – Monsieur, n'est-ce pas vous qui vous appelez
305 Sganarelle ?

SGANARELLE – Eh quoi ?

VALÈRE – Je vous demande si ce n'est pas vous qui se nomme
Sganarelle.

SGANARELLE, *se tournant vers Valère, puis vers Lucas* – Oui et non,
310 selon ce que vous lui voulez.

VALÈRE – Nous ne voulons que lui faire toutes les civilités[1] que
nous pourrons.

SGANARELLE – En ce cas, c'est moi qui se nomme Sganarelle.

VALÈRE – Monsieur, nous sommes ravis de vous voir. On nous a
315 adressés à vous pour ce que nous cherchons ; et nous venons
implorer votre aide, dont nous avons besoin.

SGANARELLE – Si c'est quelque chose, Messieurs, qui dépende de
mon petit négoce[2], je suis tout prêt à vous rendre service.

VALÈRE – Monsieur, c'est trop de grâce que vous nous faites.
320 Mais, Monsieur, couvrez-vous[3], s'il vous plaît ; le soleil pourrait vous incommoder.

LUCAS – Monsieur, boutez dessus.

SGANARELLE, *bas* – Voici des gens bien pleins de cérémonie[4].

Vocabulaire
1. *Civilités* : politesses.
2. *Négoce* : commerce (de bois de chauffage).
3. *Couvrez-vous* : remettez votre chapeau (ou votre bonnet, voir image p. 77).
4. *De cérémonie* : de manières.

VALÈRE – Monsieur, il ne faut pas trouver étrange que nous
325 venions à vous : les habiles gens sont toujours recherchés,
et nous sommes instruits de votre capacité.

SGANARELLE – Il est vrai, Messieurs, que je suis le premier
homme du monde pour faire des fagots.

VALÈRE – Ah ! Monsieur.

330 **SGANARELLE** – Je n'y épargne aucune chose, et les fais d'une
façon qu'il n'y a rien à dire.

VALÈRE – Monsieur, ce n'est pas cela dont il est question.

SGANARELLE – Mais aussi je les vends cent dix sols[1] le cent.

VALÈRE – Ne parlons point de cela, s'il vous plaît.

335 **SGANARELLE** – Je vous promets que je ne saurais les donner à
moins.

VALÈRE – Monsieur, nous savons les choses.

SGANARELLE – Si vous savez les choses, vous savez que je les
vends cela.

340 **VALÈRE** – Monsieur, c'est se moquer que...

SGANARELLE – Je ne me moque point, je n'en puis rien rabattre[2].

VALÈRE – Parlons d'autre façon, de grâce.

SGANARELLE – Vous en pourrez trouver autre part à moins : il y
a fagots et fagots ; mais pour ceux que je fais...

Vocabulaire
1. *Sols :* sous (ancienne monnaie valant douze deniers).

2. *Je n'en puis rien rabattre :* je ne peux les vendre moins cher.

345 **VALÈRE** – Eh? Monsieur, laissons là ce discours.

SGANARELLE – Je vous jure que vous ne les auriez pas, s'il s'en fallait un double[1].

VALÈRE – Eh fi!

SGANARELLE – Non, en conscience, vous en payerez cela. Je vous
350 parle sincèrement, et ne suis pas homme à surfaire[2].

VALÈRE – Faut-il, Monsieur, qu'une personne comme vous s'amuse à ces grossières feintes[3]? s'abaisse à parler de la sorte? qu'un homme si savant, un fameux médecin, comme vous êtes, veuille se déguiser aux yeux du monde, et tenir
355 enterrés les beaux talents qu'il a?

SGANARELLE, *à part* – Il est fou.

VALÈRE – De grâce, Monsieur, ne dissimulez point[4] avec nous.

SGANARELLE – Comment?

LUCAS – Tout ce tripotage ne sart de rian; je savons çen que
360 je savons.

SGANARELLE – Quoi donc? que me voulez-vous dire? Pour qui me prenez-vous?

VALÈRE – Pour ce que vous êtes, pour un grand médecin.

SGANARELLE – Médecin vous-même : je ne le suis point, et ne
365 l'ai jamais été.

Vocabulaire

1. *S'il s'en fallait un double :* si vous en offriez deux deniers de moins (c'est-à-dire quelques centimes de moins).
2. *Homme à surfaire :* du genre à fixer un prix exagéré.

3. *Feintes :* ruses.
4. *Ne dissimulez point :* ne faites pas semblant.

Le Médecin malgré lui

Valère, *bas* – Voilà sa folie qui le tient. *(Haut.)* Monsieur, ne veuillez point nier les choses davantage; et n'en venons point, s'il vous plaît, à de fâcheuses extrémités[1].

Sganarelle – À quoi donc?

370 **Valère** – À de certaines choses dont nous serions marris[2].

Sganarelle – Parbleu! venez-en à tout ce qu'il vous plaira : je ne suis point médecin, et ne sais ce que vous me voulez dire.

Valère, *bas* – Je vois bien qu'il faut se servir du remède. *(Haut.)* Monsieur, encore un coup, je vous prie d'avouer ce que
375 vous êtes.

Lucas – Et testigué! ne lantiponez[3] point davantage, et confessez à la franquette[4] que v'estes médecin.

Sganarelle – J'enrage.

Valère – À quoi bon nier ce qu'on sait?

380 **Lucas** – Pourquoi toutes ces fraimes[5]-là? et à quoi est-ce que ça vous sart?

Sganarelle – Messieurs, en un mot autant qu'en deux mille, je vous dis que je ne suis point médecin.

Valère – Vous n'êtes point médecin?

385 **Sganarelle** – Non.

Lucas – V'n'estes pas médecin?

Vocabulaire

1. *À de fâcheuses extrémités :* à des actes de violence regrettables.
2. *Marris :* désolés.
3. *Lantiponez :* retardez.
4. *À la franquette :* franchement.
5. *Fraimes :* feintes.

SGANARELLE – Non, vous dis-je.

VALÈRE – Puisque vous le voulez, il faut s'y résoudre.

(Ils prennent un bâton et le frappent.)

390 **SGANARELLE** – Ah! ah! ah! Messieurs, je suis tout ce qu'il vous plaira.

VALÈRE – Pourquoi, Monsieur, nous obligez-vous à cette violence?

LUCAS – À quoi bon nous bailler[1] la peine de vous battre?

VALÈRE – Je vous assure que j'en ai tous les regrets du monde.

395 **LUCAS** – Par ma figué[2]! j'en sis fâché, franchement.

SGANARELLE – Que diable est-ce ci, Messieurs? De grâce, est-ce pour rire, ou si tous deux vous extravaguez[3], de vouloir que je sois médecin?

VALÈRE – Quoi? vous ne vous rendez pas encore, et vous vous
400 défendez d'être médecin?

SGANARELLE – Diable emporte[4] si je le suis!

LUCAS – Il n'est pas vrai qu'ous soyez médecin?

SGANARELLE – Non, la peste m'étouffe! *(Là ils recommencent de le battre.)* Ah! Ah! Eh bien, Messieurs, oui, puisque vous
405 le voulez, je suis médecin, je suis médecin; apothicaire encore[5], si vous le trouvez bon. J'aime mieux consentir à tout que de me faire assommer.

Vocabulaire

1. *Bailler :* donner.
2. *Par ma figué :* par ma foi.
3. *Extravaguez :* délirez.
4. *Diable emporte :* que le diable m'emporte.
5. *Apothicaire encore :* pharmacien en plus.

>VALÈRE – Ah! voilà qui va bien, Monsieur : je suis ravi de vous voir raisonnable.

410 LUCAS – Vous me boutez[1] la joie au cœur, quand je vous voi parler comme ça.

>VALÈRE – Je vous demande pardon de toute mon âme.

>LUCAS – Je vous demandons excuse de la libarté que j'avons prise.

415 SGANARELLE, *à part* – Ouais! serait-ce bien moi qui me tromperais, et serais-je devenu médecin sans m'en être aperçu?

>VALÈRE – Monsieur, vous ne vous repentirez pas[2] de nous montrer ce que vous êtes; et vous verrez assurément que vous en serez satisfait.

420 SGANARELLE – Mais, Messieurs, dites-moi, ne vous trompez-vous point vous-mêmes? Est-il bien assuré que je sois médecin?

>LUCAS – Oui, par ma figué!

>SGANARELLE – Tout de bon?

>VALÈRE – Sans doute.

425 SGANARELLE – Diable emporte si je le savais!

>VALÈRE – Comment? vous êtes le plus habile médecin du monde.

>SGANARELLE – Ah! ah!

Vocabulaire
1. *Boutez :* mettez.
2. *Vous ne vous repentirez pas :* vous ne regretterez pas.

LUCAS – Un médecin qui a gari je ne sais combien de maladies.

430 SGANARELLE – Tudieu[1]!

VALÈRE – Une femme était tenue pour morte il y avait six heures; elle était prête à ensevelir, lorsque, avec une goutte de quelque chose, vous la fîtes revenir et marcher d'abord[2] par la chambre.

435 SGANARELLE – Peste!

LUCAS – Un petit enfant de douze ans se laissit choir[3] du haut d'un clocher, de quoi il eut la tête, les jambes et les bras cassés; et vous, avec je ne sais quel onguent, vous fîtes qu'aussitôt il se relevit sur ses pieds; et s'en fut jouer à la fossette.

440 SGANARELLE – Diantre!

VALÈRE – Enfin, Monsieur, vous aurez contentement avec nous; et vous gagnerez ce que vous voudrez, en vous laissant conduire où nous prétendons vous mener.

SGANARELLE – Je gagnerai ce que je voudrai?

445 VALÈRE – Oui.

SGANARELLE – Ah! je suis médecin, sans contredit[4] : je l'avais oublié : mais je m'en ressouviens. De quoi est-il question? Où faut-il se transporter?

Vocabulaire

1. *Tudieu!* : Par la vertu de Dieu (juron); voir également ci-dessous « Diantre! » (Diable!), « Palsanguenne! » (Par le sang de Dieu).

2. *D'abord* : immédiatement.
3. *Choir* : tomber.
4. *Sans contredit* : sans aucun doute

Le Médecin malgré lui

VALÈRE – Nous vous conduirons. Il est question d'aller voir une
450 fille qui a perdu la parole.

SGANARELLE – Ma foi ! je ne l'ai pas trouvée.

VALÈRE – Il aime à rire. Allons, Monsieur.

SGANARELLE – Sans une robe de médecin[1] ?

VALÈRE – Nous en prendrons une.

455 **SGANARELLE**, *présentant sa bouteille à Valère* – Tenez cela, vous :
voilà où je mets mes juleps[2].

(Puis se tournant vers Lucas en crachant.)

Vous, marchez là-dessus, par ordonnance du médecin.

LUCAS – Palsanguenne ! velà un médecin qui me plaît : je pense
460 qu'il réussira, car il est bouffon[3].

Vocabulaire

1. *Robe de médecin :* long vêtement noir descendant jusqu'aux genoux, distinctif de la profession ; tous les médecins français du XVIIᵉ siècle étaient aussi coiffés d'un chapeau pointu, même à la cour du roi Louis XIV.
2. *Juleps :* potions médicales sucrées.
3. *Bouffon :* comique.

Acte II

Scène 1

GÉRONTE, VALÈRE, LUCAS, JACQUELINE

VALÈRE – Oui, Monsieur, je crois que vous serez satisfait; et nous vous avons amené le plus grand médecin du monde.

LUCAS – Oh! morguenne! il faut tirer l'échelle après ceti-là[1], et tous les autres ne sont pas daignes de li déchausser ses souillez[2].

VALÈRE – C'est un homme qui a fait des cures merveilleuses.

LUCAS – Qui a guari des gens qui estiants morts.

VALÈRE – Il est un peu capricieux, comme je vous ai dit; et parfois il a des moments où son esprit s'échappe et ne paraît pas ce qu'il est.

LUCAS – Oui, il aime à bouffonner[3]; et l'an dirait par fois, ne v's en déplaise, qu'il a quelque petit coup de hache à la tête[1].

VALÈRE – Mais, dans le fond, il est toute science, et bien souvent il dit des choses tout à fait relevées[4].

LUCAS – Quand il s'y boute[5], il parle tout fin dirait[6] comme s'il lisait dans un livre.

Vocabulaire

1. *Il faut tirer l'échelle après ceti-là :* on ne peut en trouver de meilleur.
2. *Daignes de li déchausser ses souillez :* dignes de lui enlever ses chaussures (de le servir).
3. *À bouffonner :* à faire le fou, à plaisanter.

4. *Il a quelque petit coup de hache à la tête :* il est un peu cinglé.
5. *Relevées :* sensées et savantes.
6. *Boute :* met.
7. *Tout fin dirait :* tout à fait droit.

VALÈRE – Sa réputation s'est déjà répandue ici, et tout le monde vient à lui.

GÉRONTE – Je meurs d'envie de le voir ; faites-le-moi vite venir.

20 **VALÈRE** – Je le vais querir[1].

JACQUELINE – Par ma fi[2]! Monsieu, ceti-ci fera justement ce qu'ant fait les autres. Je pense que ce sera queussi queumi[3] ; et la meilleure médeçaine que l'an pourrait bailler[4] à votre fille, ce serait, selon moi, un biau et bon mari, pour qui elle
25 eût de l'amiquié.

GÉRONTE – Ouais ! Nourrice, ma mie, vous vous mêlez de bien des choses.

LUCAS – Taisez-vous, notre ménagère[5] Jaquelaine : ce n'est pas à vous à bouter[6] là votre nez.

30 **JACQUELINE** – Je vous dis et vous douze[7] que tous ces médecins n'y feront rian que de l'iau claire[8] ; que votre fille a besoin d'autre chose que de ribarbe et de sené[9], et qu'un mari est une emplâtre[10] qui garit tous les maux des filles.

GÉRONTE – Est-elle en état maintenant qu'on s'en voulût char-
35 ger[11], avec l'infirmité qu'elle a ? Et lorsque j'ai été dans le dessein[12] de la marier, ne s'est-elle pas opposée à mes volontés ?

Vocabulaire

1. *Quérir :* chercher.
2. *Fi :* foi.
3. *Queussi queumi :* pareil (kif-kif). Martine, comme Lucas son mari, parle un faux langage paysan.
4. *Bailler :* donner.
5. *Ménagère :* épouse.
6. *Bouter :* mettre.

7. *Douze :* redis.
8. *Rian que de l'iau claire :* rien de plus.
9. *De ribarbe et de sené :* de plantes médicinales purgatives.
10. *Emplâtre :* pansement.
11. *Qu'on s'en voulût charger :* qu'on veuille l'épouser.
12. *Dessein :* projet.

JACQUELINE – Je le crois bian : vous li vouilliez bailler cun homme qu'alle n'aime point. Que ne preniais-vous ce Monsieu Liandre, qui li touchoit au cœur ? Alle auroit été
40   fort obéissante ; et je m'en vas gager[1] qu'il la prendroit, li, comme alle est, si vous la li vouillais donner[2].

GÉRONTE – Ce Léandre n'est pas ce qu'il lui faut : il n'a pas du bien[3] comme l'autre.

JACQUELINE – Il a un oncle qui est si riche, dont il est hériquié[4].

45 GÉRONTE – Tous ces biens à venir me semblent autant de chansons[5]. Il n'est rien tel que ce qu'on tient ; et l'on court grand risque de s'abuser[6], lorsque l'on compte sur le bien qu'un autre vous garde. La mort n'a pas toujours les oreilles ouvertes aux vœux et aux prières de Messieurs les héritiers ;
50   et l'on a le temps d'avoir les dents longues[7], lorsqu'on attend, pour vivre, le trépas[8] de quelqu'un.

JACQUELINE – Enfin j'ai toujours ouï dire qu'en mariage, comme ailleurs, contentement passe richesse[9]. Les bères et les mères ant cette maudite couteume de demander toujours : « Qu'a-
55 t-il ? » et : « Qu'a-t-elle ? » et le compère Biarre a marié sa fille Simonette au gros Thomas pour un quarquié de vaigne qu'il

---

Vocabulaire

1. *Je m'en vas gager :* je suis prête à parier.
2. *Si vous la li vouillais donner :* si vous vouliez la lui donner (comme épouse).
3. *Du bien :* de l'argent, de la richesse.
4. *Hériquié :* l'héritier.
5. *Chansons :* paroles en l'air.

6. *S'abuser :* se faire des illusions.
7. *D'avoir les dents longues :* de mourir de faim.
8. *Le trépas :* la mort.
9. *Contentement passe richesse :* le bonheur vaut plus que l'argent.

avait davantage[1] que le jeune Robin, où alle avoit bouté son amiquié[2] ; et velà que la pauvre creiature en est devenue jaune comme un coing, et n'a point profité tout[3] depuis ce temps-là. C'est un bel exemple pour vous, Monsieu. On n'a que son plaisir en ce monde ; et j'aimerois mieux bailler à ma fille un bon mari qui li fût agriable, que toutes les rentes de la Biausse[4].

GÉRONTE – Peste ! Madame la Nourrice, comme vous dégoisez[5] ! Taisez-vous, je vous prie : vous prenez trop de soin[6], et vous échauffez votre lait.

LUCAS – *(En disant ceci, il frappe sur la poitrine à Géronte.)* Morgué ! tais-toi, t'es cune impartinante. Monsieu n'a que faire[7] de tes discours, et il sait ce qu'il a à faire. Mêle-toi de donner à teter à ton enfant, sans tant faire la raisonneuse. Monsieur est le père de sa fille, et il est bon et sage pour voir ce qu'il li faut.

GÉRONTE – Tout doux[8] ! oh ! tout doux !

LUCAS – Monsieur, je veux un peu la mortifier[9], et li apprendre le respect qu'elle vous doit.

GÉRONTE – Oui ; mais ces gestes ne sont pas nécessaires.

Vocabulaire

1. *Pour un quarquié de vaigne qu'il avait davantage :* parce qu'il possédait une parcelle de vigne en plus
2. *Où alle avait bouté son amiquié :* dont elle était amoureuse.
3. *N'a point profité tout :* ne s'est pas bien portée du tout (est devenue très malade).

4. *Les rentes de la Biausse :* les richesses de la Beauce (riche région agricole).
5. *Dégoisez :* bavardez à tort et à travers.
6. *Vous prenez trop de soin :* vous vous inquiétez trop.
7. *Que faire :* rien à faire.
8. *Tout doux :* calmez-vous.
9. *Mortifier :* punir.

Scène 2

VALÈRE, SGANARELLE, GÉRONTE, LUCAS, JACQUELINE

VALÈRE – Monsieur, préparez-vous. Voici notre médecin qui entre.

GÉRONTE – Monsieur, je suis ravi de vous voir chez moi, et nous
80 avons grand besoin de vous.

SGANARELLE, *en robe de médecin, avec un chapeau des plus pointus* – Hippocrate[1] dit… que nous nous couvrions tous deux.

GÉRONTE – Hippocrate dit cela ?

SGANARELLE – Oui.

85 **GÉRONTE** – Dans quel chapitre, s'il vous plaît ?

SGANARELLE – Dans son chapitre des chapeaux.

GÉRONTE – Puisque Hippocrate le dit, il le faut faire.

SGANARELLE – Monsieur le Médecin, ayant appris les merveilleuses choses…

90 **GÉRONTE** – À qui parlez-vous, de grâce ?

SGANARELLE – À vous.

GÉRONTE – Je ne suis pas médecin.

SGANARELLE – Vous n'êtes pas médecin ?

GÉRONTE – Non, vraiment.

Vocabulaire
1. *Hippocrate* : célèbre médecin grec de l'Antiquité. La citation sur les chapeaux
est inventée par Sganarelle.

95 **SGANARELLE** (*Il prend ici un bâton, et le bat comme on l'a battu.*)
– Tout de bon?

GÉRONTE – Tout de bon. Ah! ah! ah!

SGANARELLE – Vous êtes médecin maintenant : je n'ai jamais
eu d'autres licences[1].

100 **GÉRONTE** – Quel diable d'homme m'avez-vous là amené?

VALÈRE – Je vous ai bien dit que c'était un médecin goguenard[2].

GÉRONTE – Oui; mais je l'envoirais promener avec ses gogue-
narderies.

LUCAS – Ne prenez pas garde à ça, Monsieur : ce n'est que
105 pour rire.

GÉRONTE – Cette raillerie[3] ne me plaît pas.

SGANARELLE – Monsieur, je vous demande pardon de la liberté
que j'ai prise.

GÉRONTE – Monsieur, je suis votre serviteur[4].

110 **SGANARELLE** – Je suis fâché…

GÉRONTE – Cela n'est rien.

SGANARELLE – Des coups de bâton…

GÉRONTE – Il n'y a pas de mal.

SGANARELLE – Que j'ai eu l'honneur de vous donner.

Vocabulaire
1. *Licences* : diplômes.
2. *Goguenard* : farceur.
3. *Raillerie* : plaisanterie.
4. *Je suis votre serviteur* : je vous en prie.

115 **GÉRONTE** – Ne parlons plus de cela. Monsieur, j'ai une fille qui est tombée dans une étrange maladie.

SGANARELLE – Je suis ravi, Monsieur, que votre fille ait besoin de moi ; et je souhaiterois de tout mon cœur que vous en eussiez besoin aussi, vous et toute votre famille, pour vous
120 témoigner l'envie que j'ai de vous servir.

GÉRONTE – Je vous suis obligé[1] de ces sentiments.

SGANARELLE – Je vous assure que c'est du meilleur de mon âme que je vous parle.

GÉRONTE – C'est trop d'honneur que vous me faites.

125 **SGANARELLE** – Comment s'appelle votre fille ?

GÉRONTE – Lucinde.

SGANARELLE – Lucinde ! Ah ! beau nom à médicamenter ! Lucinde !

GÉRONTE – Je m'en vais voir un peu ce qu'elle fait.

130 **SGANARELLE** – Qui est cette grande femme-là ?

GÉRONTE – C'est la nourrice d'un petit enfant que j'ai.

SGANARELLE – Peste ! le joli meuble[2] que voilà ! Ah ! Nourrice, charmante Nourrice, ma médecine est la très-humble esclave de votre nourricerie, et je voudrais bien être le petit poupon
135 fortuné[3] qui tétât le lait (il lui porte la main sur le sein) de

---

Vocabulaire
1. *Obligé :* reconnaissant.
2. *Le joli meuble :* cette métaphore désigne la nourrice !
3. *Fortuné :* chanceux.

vos bonnes grâces. Tous mes remèdes, toute ma science, toute ma capacité est à votre service, et…

LUCAS – Avec votre parmission, Monsieur le Médecin, laissez là ma femme, je vous prie.

140 SGANARELLE – Quoi? est-elle votre femme?

LUCAS – Oui.

SGANARELLE (*Il fait semblant d'embrasser Lucas, et se tournant du côté de la Nourrice, il l'embrasse*). – Ah! vraiment, je ne savais pas cela, et je m'en réjouis pour l'amour de l'un et de l'autre.

145 LUCAS, *en le tirant* – Tout doucement, s'il vous plaît.

SGANARELLE – Je vous assure que je suis ravi que vous soyez unis ensemble. Je la félicite d'avoir *(il fait encore semblant d'embrasser Lucas, et, passant dessous ses bras, se jette au col de sa femme)*. un mari comme vous; et je vous félicite, vous, 150 d'avoir une femme si belle; si sage, et si bien faite comme elle est.

LUCAS, *en le tirant encore* – Eh! testigué! point tant de compliment, je vous supplie.

SGANARELLE – Ne voulez-vous pas que je me réjouisse avec vous 155 d'un si bel assemblage?

LUCAS – Avec moi, tant qu'il vous plaira; mais avec ma femme, trêve de sarimonie[1].

Vocabulaire
1. *Trêve de sarimonie :* assez de cérémonie (arrêtez votre manège).

Sganarelle – Je prends part également au bonheur de tous
deux ; *(il continue le même jeu)* et si je vous embrasse pour
160 vous en témoigner ma joie, je l'embrasse de même pour lui
en témoigner aussi.

Lucas, *en le tirant derechef*[1] – Ah ! vartigué, Monsieur le Médecin,
que de lantiponages[2].

Scène 3
Sganarelle, Géronte, Lucas, Jacqueline

Géronte – Monsieur, voici tout à l'heure ma fille qu'on va
165 vous amener.

Sganarelle – Je l'attends, Monsieur, avec toute la médecine.

Géronte – Où est-elle ?

Sganarelle, *se touchant le front* – Là dedans.

Géronte – Fort bien.

170 **Sganarelle,** *en voulant toucher les tétons de la Nourrice.* – Mais
comme je m'intéresse à toute votre famille, il faut que j'es-
saye un peu le lait de votre nourrice, et que je visite son sein.

Lucas, *le tirant, en lui faisant faire la pirouette* – Nanin[3], nanin ;
je n'avons que faire de ça.

175 **Sganarelle** – C'est l'office[4] du médecin de voir les tétons des
nourrices.

Vocabulaire
1. *Derechef :* de nouveau.
2. *Lantiponages :* retardements.
3. *Nanin :* non.
4. *L'office :* le travail.

LUCAS – Il gnia office qui quienne, je sis votre sarviteur.

SGANARELLE – As-tu bien la hardiesse de t'opposer au médecin ? Hors de là !

180 LUCAS – Je me moque de ça.

SGANARELLE, *en le regardant de travers* – Je te donnerai la fièvre.

JACQUELINE, *prenant Lucas par le bras et lui faisant aussi faire la pirouette.* – Ôte-toi de là aussi ; est-ce que je ne sis pas assez grande pour me défendre moi-même, s'il me fait quelque
185 chose qui ne soit pas à faire ?

LUCAS – Je ne veux pas qu'il te tâte, moi.

SGANARELLE – Fi, le vilain[1], qui est jaloux de sa femme !

GÉRONTE – Voici ma fille.

Scène 4

LUCINDE, VALÈRE, GÉRONTE, LUCAS, SGANARELLE, JACQUELINE

SGANARELLE – Est-ce là la malade ?

190 GÉRONTE – Oui, je n'ai qu'elle de fille ; et j'aurais tous les regrets du monde si elle venait à mourir.

SGANARELLE – Qu'elle s'en garde bien ! il ne faut pas qu'elle meure sans l'ordonnance du médecin.

GÉRONTE – Allons, un siège.

Vocabulaire
1. *Le vilain :* le paysan méprisable.

195 SGANARELLE – Voilà une malade qui n'est pas tant dégoûtante[1], et je tiens qu'un homme bien sain s'en accommoderait assez.

GÉRONTE – Vous l'avez fait rire, Monsieur.

SGANARELLE – Tant mieux : lorsque le médecin fait rire le malade, c'est le meilleur signe du monde. Eh bien ! de quoi

200 est-il question ? qu'avez-vous ? quel est le mal que vous sentez ?

LUCINDE, *répond par signes, en portant sa main à sa bouche, à sa tête et sous son menton.* – Han, hi, hom, han.

SGANARELLE – Eh ! que dites-vous ?

205 LUCINDE *continue les mêmes gestes.* – Han, hi, hom, han, han, hi, hom.

SGANARELLE – Quoi ?

LUCINDE – Han, hi, hom.

SGANARELLE, *la contrefaisant[2]* – Han, hi, hom, han, ha : je ne

210 vous entends[3] point. Quel diable de langage est-ce là ?

GÉRONTE – Monsieur, c'est là sa maladie. Elle est devenue muette, sans que jusques ici on en ait pu savoir la cause ; et c'est un accident qui a fait reculer son mariage.

SGANARELLE – Et pourquoi ?

215 GÉRONTE – Celui qu'elle doit épouser veut attendre sa guérison pour conclure les choses.

Vocabulaire
1. *Tant dégoûtante :* si répugnante.   **3.** *Entends :* comprends.
2. *La contrefaisant :* l'imitant.

SGANARELLE – Et qui est ce sot-là qui ne veut pas que sa femme soit muette? Plût à Dieu que la mienne eût cette maladie! je me garderais bien de la vouloir guérir.

220 **GÉRONTE** – Enfin, Monsieur, nous vous prions d'employer tous vos soins pour la soulager de son mal.

SGANARELLE – Ah! ne vous mettez pas en peine. Dites-moi un peu, ce mal l'oppresse-t-il beaucoup?

GÉRONTE – Oui, Monsieur.

225 **SGANARELLE** – Tant mieux. Sent-elle de grandes douleurs?

GÉRONTE – Fort grandes.

SGANARELLE – C'est fort bien fait. Va-t-elle où vous savez[1]?

GÉRONTE – Oui.

SGANARELLE – Copieusement?

230 **GÉRONTE** – Je n'entends rien à cela.

SGANARELLE – La matière est-elle louable[2]?

GÉRONTE – Je ne me connais pas à ces choses.

SGANARELLE, *se tournant vers la malade* – Donnez-moi votre bras. Voilà un pouls qui marque que votre fille est muette.

235 **GÉRONTE** – Eh oui, Monsieur, c'est là son mal; vous l'avez trouvé tout du premier coup.

SGANARELLE – Ah, ah!

Vocabulaire
1. *Où vous savez* : c'est-à-dire « aux toilettes ».
2. *La matière est-elle louable ?* : les excréments sont-ils de bonne qualité?

Jacqueline – Voyez comme il a deviné sa maladie!

Sganarelle – Nous autres grands médecins, nous connaissons
240 d'abord[1] les choses. Un ignorant aurait été embarrassé, et
vous eût été dire : «C'est ceci, c'est cela»; mais moi, je
touche au but du premier coup, et je vous apprends que
votre fille est muette.

Géronte – Oui; mais je voudrais bien que vous me pussiez
245 dire d'où cela vient.

Sganarelle – Il n'est rien plus aisé[2] : cela vient de ce qu'elle a
perdu la parole.

Géronte – Fort bien; mais la cause, s'il vous plaît, qui fait
qu'elle a perdu la parole?

250 **Sganarelle** – Tous nos meilleurs auteurs vous diront que c'est
l'empêchement de l'action de sa langue.

Géronte – Mais encore, vos sentiments sur cet empêchement
de l'action de sa langue?

Sganarelle – Aristote, là-dessus, dit... de fort belles choses.

255 **Géronte** – Je le crois.

Sganarelle – Ah! c'était un grand[3] homme!

Géronte – Sans doute.

Vocabulaire
1. *D'abord :* immédiatement.
2. *Aisé :* facile.

3. *Grand :* jeu de mots sur le sens
propre (la hauteur) et le sens figuré
(la célébrité) de l'adjectif «grand».

Le Médecin malgré lui

Sganarelle, *levant son bras depuis le coude* – Grand homme tout à fait : un homme qui était plus grand que moi de tout cela.

260 Pour revenir donc à notre raisonnement, je tiens[1] que cet empêchement de l'action de sa langue est causé par de certaines humeurs, qu'entre nous autres savants nous appelons humeurs peccantes[2] ; peccantes, c'est-à-dire… humeurs peccantes ; d'autant que les vapeurs formées par les exhalaisons[3]
265 des influences qui s'élèvent dans la région des maladies, venant… pour ainsi dire… à… Entendez-vous le latin ?

Géronte – En aucune façon.

Sganarelle, *se tenant avec étonnement* – Vous n'entendez point le latin !

270 **Géronte** – Non.

Sganarelle, *en faisant diverses plaisantes postures* – *Cabricias arci thuram, catalamus, singulariter, nominativo haec Musa, «la Muse», bonus, bona, bonum, Deus sanctus, estne oratio latinas ? Etiam, «oui». Quare, «pourquoi»? Quia substantivo*
275 *et adjectivum concordat in generi, numerum, et casus*[4].

Géronte – Ah! que n'ai-je étudié?

Jacqueline – L'habile homme que velà!

Vocabulaire

1. *Je tiens* : j'affirme.
2. *Humeurs peccantes* : humeurs mauvaises et malfaisantes. Au XVIIᵉ siècle, la médecine officielle admettait la théorie de Galien (né en 131) selon laquelle la santé résultait de l'équilibre de quatre substances liquides organiques nommées «humeurs» : le sang, le flegme, la bile, l'atrabile ; une maladie se déclarait dès qu'un de ces liquides se viciait.
3. *Exhalaisons* : odeurs.
4. Charabia de mots latins plus ou moins inventés et utilisés de façon fantaisiste.

LUCAS – Oui, ça est si biau[1], que je n'y entends goutte.

SGANARELLE – Or ces vapeurs dont je vous parle venant à passer, du côté gauche, où est le foie, au côté droit, où est le cœur[2], il se trouve que le poumon, que nous appelons en latin *armyan*[3], ayant communication avec le cerveau, que nous nommons en grec *nasmus*[4], par le moyen de la veine cave, que nous appelons en hébreu *cubile*[5], rencontre en son chemin lesdites vapeurs, qui remplissent les ventricules de l'omoplate; et parce que lesdites vapeurs… comprenez bien ce raisonnement, je vous prie; et parce que lesdites vapeurs ont une certaine malignité[6]… Ecoutez bien ceci, je vous conjure.

GÉRONTE – Oui.

SGANARELLE – Ont une certaine malignité, qui est causée… Soyez attentif, s'il vous plaît.

GÉRONTE – Je le suis.

SGANARELLE – Qui est causée par l'âcreté des humeurs engendrées dans la concavité du diaphragme, il arrive que ces vapeurs… *Ossabandus, nequeys, nequer, potarinum, quipsa milus*[7]. Voilà justement ce qui fait que votre fille est muette.

JACQUELINE – Ah! que ça est bian dit, notte homme!

LUCAS – Que n'ai-je la langue aussi bian pendue?

Vocabulaire

1. *Ca est si biau, que je n'y entends goutte* : c'est si beau que je n'y comprends rien.
2. Erreur anatomique; c'est l'inverse!
3. *Armyan* : mot inventé.
4. *Nasmus* : mot inventé.
5. *Cubile* : mot non pas hébreu mais latin, qui signifie… «un lit»!
6. *Ont une certaine malignité* : sont porteuses de maladie.
7. *Ossabandus, nequeys, nequer, potarinum, quipsa milus* : mots inventés.

GÉRONTE – On ne peut pas mieux raisonner, sans doute. Il n'y a
qu'une seule chose qui m'a choqué : c'est l'endroit du foie et
du cœur. Il me semble que vous les placez autrement qu'ils ne
sont ; que le cœur est du côté gauche, et le foie du côté droit.

SGANARELLE – Oui, cela était autrefois ainsi ; mais nous avons
changé tout cela, et nous faisons maintenant la médecine
d'une méthode toute nouvelle.

GÉRONTE – C'est ce que je ne savais pas, et je vous demande
pardon de mon ignorance.

SGANARELLE – Il n'y a point de mal, et vous n'êtes pas obligé
d'être aussi habile que nous.

GÉRONTE – Assurément. Mais, Monsieur, que croyez-vous qu'il
faille faire à cette maladie ?

SGANARELLE – Ce que je crois qu'il faille faire ?

GÉRONTE – Oui.

SGANARELLE – Mon avis est qu'on la remette sur son lit, et qu'on
lui fasse prendre pour remède quantité de pain trempé dans
du vin.

GÉRONTE – Pourquoi cela, Monsieur ?

SGANARELLE – Parce qu'il y a dans le vin et le pain, mêlés
ensemble, une vertu sympathique[1] qui fait parler. Ne voyez-
vous pas bien qu'on ne donne autre chose aux perroquets,
et qu'ils apprennent à parler en mangeant de cela ?

Vocabulaire
1. *Une vertu sympathique :* une capacité de guérir.

GÉRONTE – Cela est vrai. Ah! le grand homme! Vite, quantité de pain et de vin!

SGANARELLE – Je reviendrai voir, sur le soir, en quel état elle sera.
325   (À la Nourrice.) Doucement[1], vous. Monsieur, voilà une nourrice à laquelle il faut que je fasse quelques petits remèdes.

JAQUELINE – Qui? moi? Je me porte le mieux du monde.

SGANARELLE – Tant pis, Nourrice, tant pis. Cette grande santé est à craindre, et il ne sera mauvais de vous faire quelque
330   petite saignée amiable, de vous donner quelque petit clystère dulcifiant[2].

GÉRONTE – Mais, Monsieur, voilà une mode que je ne comprends point. Pourquoi s'aller faire saigner quand on n'a point de maladie?

335   SGANARELLE – Il n'importe, la mode en est salutaire; et comme on boit pour la soif à venir, il faut se faire aussi saigner pour la maladie à venir.

JAQUELINE, *en se retirant* – Ma fi! je me moque de ça, et je ne veux point faire de mon corps une boutique d'apothicaire[3].

340   SGANARELLE – Vous êtes rétive[4] aux remèdes; mais nous saurons vous soumettre à la raison. *(Parlant à Géronte.)* Je vous donne le bonjour[5].

Vocabulaire

1. *Doucement :* attendez un peu.
2. *Saignée amiable [...] clystère dulcifiant :* prélèvement de sang amical [...]lavement des intestins adoucissant. Ces deux remèdes étaient souvent prescrits, même à titre préventif, par les médecins du XVIIe siècle.
3. *D'apothicaire :* de pharmacien.
4. *Rétive :* réticente.
5. *Je vous donne le bonjour :* au revoir.

Le Médecin malgré lui

GÉRONTE – Attendez un peu, s'il vous plaît.

SGANARELLE – Que voulez-vous faire ?

345 GÉRONTE – Vous donner de l'argent, Monsieur.

SGANARELLE, *tendant sa main derrière, par-dessous sa robe, tandis que Géronte ouvre sa bourse* – Je n'en prendrai pas, Monsieur.

GÉRONTE – Monsieur...

SGANARELLE – Point du tout.

350 GÉRONTE – Un petit moment.

SGANARELLE – En aucune façon.

GÉRONTE – De grâce !

SGANARELLE – Vous vous moquez.

GÉRONTE – Voilà qui est fait.

355 SGANARELLE – Je n'en ferai rien.

GÉRONTE – Eh !

SGANARELLE – Ce n'est pas l'argent qui me fait agir.

GÉRONTE – Je le crois.

SGANARELLE, *après avoir pris l'argent* – Cela est-il de poids ?

360 GÉRONTE – Oui, Monsieur.

SGANARELLE – Je ne suis pas un médecin mercenaire[1].

GÉRONTE – Je le sais bien.

Vocabulaire
1. *Mercenaire :* qui travaille uniquement pour l'argent.

Sganarelle – L'intérêt ne me gouverne point[1].

Géronte – Je n'ai pas cette pensée.

Scène 5
Sganarelle, Léandre

365 **Sganarelle**, *regardant son argent* – Ma foi! cela ne va pas mal; et pourvu que...

Léandre – Monsieur, il y a longtemps que je vous attends, et je viens implorer votre assistance[2].

Sganarelle, *lui prenant le poignet* – Voilà un pouls qui est fort
370 mauvais.

Léandre – Je ne suis point malade, Monsieur, et ce n'est pas pour cela que je viens à vous.

Sganarelle – Si vous n'êtes pas malade, que diable ne le dites-vous donc?

375 **Léandre** – Non : pour vous dire la chose en deux mots, je m'appelle Léandre, qui suis amoureux de Lucinde, que vous venez de visiter; et comme, par la mauvaise humeur de son père toute sorte d'accès m'est fermé auprès d'elle[3], je me hasarde[4] à vous prier de vouloir servir mon amour, et de

---

Vocabulaire
1. *L'intérêt ne me gouverne point :* ce n'est pas l'argent qui m'intéresse.
2. *Implorer votre assistance :* vous supplier de m'aider.
3. *Toute sorte d'accès m'est fermé auprès d'elle :* on m'interdit de la voir.
4. *Hasarde :* risque.

380 me donner lieu d'exécuter un stratagème[1] que j'ai trouvé,
pour lui pouvoir dire deux mots, d'où dépendent absolument mon bonheur et ma vie.

SGANARELLE, *paraissant en colère* – Pour qui me prenez-vous ?
Comment oser vous adresser à moi pour vous servir dans
385 votre amour, et vouloir ravaler[2] la dignité de médecin à des emplois de cette nature[3] ?

LÉANDRE – Monsieur, ne faites point de bruit.

SGANARELLE, *en le faisant reculer* – J'en veux faire, moi. Vous
êtes un impertinent[4].

390 LÉANDRE – Eh ! Monsieur, doucement.

SGANARELLE – Un malavisé[5].

LÉANDRE – De grâce !

SGANARELLE – Je vous apprendrai que je ne suis point homme
à cela, et que c'est une insolence extrême...

395 LÉANDRE, *tirant une bourse qu'il lui donne* – Monsieur...

SGANARELLE, *tenant la bourse* – De vouloir m'employer... Je ne
parle pas pour vous, car vous êtes honnête homme, et je
serois ravi de vous rendre service ; mais il y a de certains
impertinents au monde qui viennent prendre les gens pour
400 ce qu'ils ne sont pas ; et je vous avoue que cela me met en
colère.

Vocabulaire

1. *Me donner lieu d'exécuter un stratagème :* me permettre de réaliser un plan ingénieux.
2. *Ravaler :* rabaisser.

3. *Des emplois de cette nature :* des rôles de ce genre.
4. *Impertinent :* insolent.
5. *Malavisé :* imprudent.

LÉANDRE – Je vous demande pardon, Monsieur, de la liberté que…

SGANARELLE – Vous vous moquez. De quoi est-il question ?

405 LÉANDRE – Vous saurez donc, Monsieur, que cette maladie que vous voulez guérir est une feinte[1] maladie. Les médecins ont raisonné là-dessus comme il faut ; et ils n'ont pas manqué de dire que cela procédoit[2], qui du cerveau, qui des entrailles, qui de la rate, qui du foie ; mais il est certain que l'amour 410 en est la véritable cause, et que Lucinde n'a trouvé cette maladie que pour se délivrer d'un mariage dont elle étoit importunée. Mais, de crainte qu'on ne nous voye ensemble, retirons-nous d'ici, et je vous dirai en marchant ce que je souhaite de vous.

415 SGANARELLE – Allons, Monsieur : vous m'avez donné pour votre amour une tendresse qui n'est pas concevable ; et j'y perdrai toute ma médecine, ou la malade crèvera, ou bien elle sera à vous.

Vocabulaire
1. *Feinte :* fausse.
2. *Procédoit :* venait.

Acte III

Scène 1

SGANARELLE, LÉANDRE

LÉANDRE – Il me semble que je ne suis pas mal ainsi pour un apothicaire; et comme le père ne m'a guère vu, ce changement d'habit et de perruque est assez capable, je crois, de me déguiser à ses yeux.

5 SGANARELLE – Sans doute.

LÉANDRE – Tout ce que je souhaiterais serait de savoir cinq ou six grands mots de médecine, pour parer[1] mon discours et me donner l'air d'habile homme.

SGANARELLE – Allez, allez, tout cela n'est pas nécessaire : il suffit 10 de l'habit, et je n'en sais pas plus que vous.

LÉANDRE – Comment?

SGANARELLE – Diable emporte si j'entends rien[2] en médecine! Vous êtes honnête homme[3], et je veux bien me confier à vous, comme vous vous confiez à moi.

15 LÉANDRE – Quoi? vous n'êtes pas effectivement…

SGANARELLE – Non, vous dis-je : ils m'ont fait médecin malgré mes dents[4]. Je ne m'étois jamais mêlé d'être si savant que

---

Vocabulaire

1. *Parer* : embellir.
2. *Diable emporte si j'entends rien* : le diable m'emporte si je comprends quoi que ce soit.
3. *Honnête homme* : un homme d'honneur, poli et discret (sens du XVIIᵉ siècle).
4. *Malgré mes dents* : malgré ma résistance.

cela; et toutes mes études n'ont été que jusqu'en sixième. Je ne sais point sur quoi cette imagination[1] leur est venue; mais quand j'ai vu qu'à toute force ils vouloient que je fusse médecin, je me suis résolu[2] de l'être, aux dépens de qui il appartiendra[3]. Cependant vous ne sauriez croire comment l'erreur s'est répandue, et de quelle façon chacun est endiablé[4] à me croire habile homme. On me vient chercher de tous les côtés; et si les choses vont toujours de même, je suis d'avis de m'en tenir, toute ma vie, à la médecine. Je trouve que c'est le métier le meilleur de tous; car, soi, qu'on fasse bien ou soit qu'on fasse mal, on est toujours payé de même sorte : la méchante besogne[5] ne retombe jamais sur notre dos; et nous taillons, comme il nous plaît, sur l'étoffe où nous travaillons. Un cordonnier, en faisant des souliers, ne sauroit gâter[6] un morceau de cuir qu'il n'en paye les pots cassés[7]; mais ici l'on peut gâter un homme sans qu'il en coûte rien. Les bévues ne sont point pour nous[8]; et c'est toujours la faute de celui qui meurt. Enfin le bon de cette profession est qu'il y a parmi les morts une honnêteté[9], une discrétion la plus grande du monde; et jamais on n'en voit se plaindre du médecin qui l'a tué.

Vocabulaire

1. *Imagination* : idée fausse.
2. *Résolu* : décidé.
3. *Aux dépens de qui il appartiendra* : aux frais de qui le voudra.
4. *Endiablé* : enragé, acharné.
5. *La méchante besogne* : le travail mal fait.
6. *Gâter* : gâcher, détériorer par maladresse.

7. *Qu'il n'en paye les pots cassés* : sans en subir les conséquences.
8. *Les bévues ne sont point pour nous* : les erreurs ne nous sont jamais attribuées.
9. *Honnêteté* : politesse.

LÉANDRE – Il est vrai que les morts sont fort honnêtes gens sur
40   cette matière.

SGANARELLE, *voyant des hommes qui viennent vers lui* – Voilà des
gens qui ont la mine[1] de me venir consulter. Allez toujours
m'attendre auprès du logis de votre maîtresse[2].

Scène 2
THIBAUT, PERRIN, SGANARELLE

THIBAUT – Monsieu, je venons vous charcher, mon fils Perrin
45   et moi.

SGANARELLE – Qu'y a-t-il?

THIBAUT – Sa pauvre mère, qui a nom Parette, est dans un lit,
malade, il y a[3] six mois.

SGANARELLE, *tendant la main, comme pour recevoir de l'argent* –
50   Que voulez-vous que j'y fasse?

THIBAUT – Je voudrions, Monsieur, que vous nous baillissiez[4]
quelque petite drôlerie[5] pour la garir.

SGANARELLE – Il faut voir de quoi est-ce qu'elle est malade.

Vocabulaire
1. *La mine :* l'air.
2. *Maîtresse :* amoureuse.
3. *Il y a :* depuis.
4. *Baillissiez :* donniez, prescriviez.
5. *Drôlerie :* remède insolite.

THIBAUT – Alle est malade d'hypocrisie[1], Monsieur.

55 SGANARELLE – D'hypocrisie ?

THIBAUT – Oui, c'est-à-dire qu'alle est enflée par tout ; et l'an dit que c'est quantité de sériosités qu'alle a dans le corps, et que son foie, son ventre, ou sa rate, comme vous voudrais l'appeler, au glieu de faire du sang, ne fait plus que de l'iau[2]. Alle

60 a, de deux jours l'un[3], la fièvre quotiguenne, avec des lassitules et des douleurs dans les mufles des jambes. On entend dans sa gorge des fleumes qui sont tout prêts à l'étouffer ; et par fois il lui prend des syncoles et des conversions, que je crayons qu'alle est passée[4]. J'avons dans notre village un

65 apothicaire, révérence parler[5], qui li a donné je ne sai combien d'histoires ; et il m'en coûte plus d'eune douzaine de bons écus en lavements, ne v's en déplaise, en apostumes qu'on li a fait prendre, en infections de jacinthe, et en portions cordales. Mais tout ça, comme dit l'autre, n'a été que

70 de l'onguent miton mitaine[6]. Il veloit li bailler[7] d'eune certaine drogue que l'on appelle du vin amétile ; mais j'ai-s-eu

---

Vocabulaire

1. *Hypocrisie* : Thibaut, en confondant « hypocrisie » (fausseté) et « hydropisie » (maladie causant un gonflement, un oedème), fait involontairement un jeu de mot très comique. Par la suite, il écorche d'autres termes médicaux : « sériosité »/sérosités (liquides organiques), « mufles »/muscles, « fleumes »/flegmes (glaires), « syncoles et conversions »/syncopes (« évanouissements ») et convulsions (spasmes), « apostumes/apozèmes (tisanes), « infections »/infusions,

« portions cordales »/ potions cordiales (pour le cœur), « vin amétile »/ « vin émétique » (boisson vomitive).

2. *Iau* : eau.

3. *De deux jours l'un* : un jour sur deux.

4. *Passée* : morte.

5. *Révérence parler* : sauf votre respect, excusez-moi pour ce que je vais dire.

6. *De l'onguent miton mitaine* : de la pommade qui ne fait ni bien ni mal.

7. *Bailler* : donner.

peur, franchement, que ça l'envoyît à patres[1] ; et l'an dit que ces gros médecins tuent je ne sai combien de monde avec cette invention-là.

75 SGANARELLE, *tendant toujours la main et la branlant, comme pour signe[2] qu'il demande de l'argent* – Venons au fait, mon ami, venons au fait.

THIBAUT – Le fait est, Monsieur, que je venons vous prier de nous dire ce qu'il faut que je fassions.

80 SGANARELLE – Je ne vous entends point du tout.

PERRIN – Monsieur, ma mère est malade ; et velà deux écus que je vous apportons pour nous bailler queuque remède.

SGANARELLE – Ah ! je vous entends, vous. Voilà un garçon qui parle clairement, qui s'explique comme il faut. Vous dites
85 que votre mère est malade d'hydropisie, qu'elle est enflée par tout le corps, qu'elle a la fièvre, avec des douleurs dans les jambes, et qu'il lui prend parfois des syncopes et des convulsions, c'est-à-dire des évanouissements ?

PERRIN – Eh ! oui, Monsieur, c'est justement ça.

90 SGANARELLE – J'ai compris d'abord vos paroles. Vous avez un père qui ne sait ce qu'il dit. Maintenant vous me demandez un remède ?

Vocabulaire

1. *Que ça l'envoyît à patres :* que ça l'envoie *ad patres* (expression latine signifiant «là où sont les ancêtres» c'est-à-dire dans l'autre monde) ; que ça la fasse mourir.

2. *La branlant, comme pour signe :* la secouant pour lui faire signe.

Perrin – Oui, Monsieur.

Sganarelle – Un remède pour la guérir ?

95 **Perrin** – C'est comme je l'entendons.

Sganarelle – Tenez, voilà un morceau de formage[1] qu'il faut que vous lui fassiez prendre.

Perrin – Du fromage, Monsieur ?

Sganarelle – Oui, c'est un formage préparé, où il entre de l'or,
100 du coral, et des perles, et quantité d'autres choses précieuses.

Perrin – Monsieur, je vous sommes bien obligés ; et j'allons li faire prendre ça tout à l'heure.

Sganarelle – Allez. Si elle meurt, ne manquez pas de la faire enterrer du mieux que vous pourrez.

Scène 3

Jacqueline, Sganarelle, Lucas

105 **Sganarelle** – Voici la belle Nourrice. Ah ! Nourrice de mon cœur, je suis ravi de cette rencontre, et votre vue est la rhubarbe, la casse, et le séné[2] qui purgent toute la mélancolie[3] de mon âme.

Vocabulaire

1. *Formage :* Sganarelle utilise volontairement, pour paraître savant, la forme archaïque du mot (du lat. *forma*). Divers médicaments du XVIIe siècle étaient composés avec des matières coûteuses réduites en poudre.

2. *La rhubarbe, la casse et le séné :* Trois plantes médicales très employées au XVIIe siècle.
3. *Purgent toute la mélancolie :* éliminent toute la tristesse.

Le Médecin malgré lui

JACQUELINE – Par ma figué[1]! Monsieur le Médecin, ça est trop
110   bian dit pour moi, et je n'entends rien à tout votre latin.

SGANARELLE – Devenez malade, Nourrice, je vous prie; devenez
malade, pour l'amour de moi : j'aurois toutes les joies du
monde de vous guérir.

JACQUELINE – Je sis votte sarvante[2] : j'aime bian mieux qu'an
115   ne me guérisse pas.

SGANARELLE – Que je vous plains, belle Nourrice, d'avoir un
mari jaloux et fâcheux[3] comme celui que vous avez!

JACQUELINE – Que velez-vous, Monsieur? c'est pour la pénitence de mes fautes[4]; et là où la chèvre est liée, il faut bian
120   qu'alle y broute.

SGANARELLE – Comment? un rustre[5] comme cela! un homme
qui vous observe toujours, et ne veut pas que personne vous
parle!

JACQUELINE – Hélas! vous n'avez rien vu encore, et ce n'est
125   qu'un petit échantillon de sa mauvaise humeur.

SGANARELLE – Est-il possible? et qu'un homme ait l'âme assez
basse pour maltraiter une personne comme vous? Ah! que
j'en sais[6], belle Nourrice, et qui ne sont pas loin d'ici, qui se
tiendraient heureux de baiser seulement les petits bouts de

Vocabulaire
1. *Par ma figué :* par ma foi.
2. *Je sis votte sarvante :* ici, l'expression signifie : non merci.
3. *Fâcheux :* gênant.
4. *La pénitence de mes fautes :* la punition de mes péchés.
5. *Rustre :* être grossier et inculte.
6. *Sais :* connais.

130 vos petons[1]! Pourquoi faut-il qu'une personne si bien faite soit tombée en de telles mains, et qu'un franc animal, un brutal, un stupide, un sot…? Pardonnez-moi, Nourrice, si je parle ainsi de votre mari.

JACQUELINE – Eh! Monsieu, je sai bien qu'il mérite tous ces
135 noms-là.

SGANARELLE – Oui, sans doute, Nourrice, il les mérite; et il mériterait encore que vous lui missiez quelque chose sur la tête[2], pour le punir des soupçons qu'il a.

JACQUELINE – Il est bien vrai que si je n'avais devant les yeux
140 que son intérêt[3], il pourrait m'obliger à queuque étrange chose[4].

SGANARELLE – Ma foi! vous ne feriez pas mal de vous venger de lui avec quelqu'un. C'est un homme, je vous le dis, qui mérite bien cela; et si j'étais assez heureux, belle Nourrice,
145 pour être choisi pour… *(En cet endroit, tous deux apercevant Lucas qui était derrière eux et entendait leur dialogue, chacun se retire de son côté, mais le Médecin d'une manière fort plaisante[5].)*

Vocabulaire

1. *Petons :* jolis petits pieds.
2. *Quelque chose sur la tête :* une paire de cornes (symbole des maris trompés, cocus).
3. *Que son intérêt :* que ce qu'il mérite.

4. *Queuque étrange chose :* à le tromper (cf. le monologue de Martine, I, 3).
5. *Fort plaisante :* très drôle.

Scène 4

GÉRONTE, LUCAS

GÉRONTE – Holà! Lucas, n'as-tu point vu ici notre médecin?

LUCAS – Et oui, de par tous les diantres[1], je l'ai vu, et ma femme aussi.

150

GÉRONTE – Où est-ce donc qu'il peut être?

LUCAS – Je ne sai; mais je voudrais qu'il fût à tous les guebles.

GÉRONTE – Va t'en voir un peu ce que fait ma fille.

Scène 5

SGANARELLE, LÉANDRE, GÉRONTE

GÉRONTE – Ah! Monsieur, je demandais où vous étiez.

155 SGANARELLE – Je m'étais amusé dans votre cour à expulser le superflu de la boisson. Comment se porte la malade?

GÉRONTE – Un peu plus mal depuis votre remède.

SGANARELLE – Tant mieux : c'est signe qu'il opère.

GÉRONTE – Oui; mais, en opérant, je crains qu'il ne l'étouffe.

160 SGANARELLE – Ne vous mettez pas en peine; j'ai des remèdes qui se moquent de tout, et je l'attends à l'agonie.

GÉRONTE – Qui est cet homme-là que vous amenez?

Vocabulaire
1. *Diantres (ou guèbles)* : déformation de « diables ».

Sganarelle, *faisant des signes avec la main que c'est un apothi-caire*[1] – C'est…

165 **Géronte** – Quoi ?

Sganarelle – Celui…

Géronte – Eh ?

Sganarelle – Qui…

Géronte – Je vous entends.

170 **Sganarelle** – Votre fille en aura besoin.

Scène 6

Jacqueline, Lucinde, Géronte, Léandre, Sganarelle

Jacqueline – Monsieur, velà votre fille qui veut un peu marcher.

Sganarelle – Cela lui fera du bien. Allez-vous-en, Monsieur l'Apothicaire, tâter un peu son pouls, afin que je raisonne tantôt avec vous de sa maladie[2].

175 *(En cet endroit, il tire Géronte à un bout du théâtre, et, lui passant un bras sur les épaules, lui rabat la main sous le menton, avec laquelle il le fait retourner vers lui, lorsqu'il veut regarder ce que sa fille et l'apothicaire font ensemble, lui tenant cependant le discours suivant pour l'amuser[3] :)*

Vocabulaire

1. Sganarelle mime l'action de donner un lavement (comique de gestes), acte médical fréquent au XVIIe siècle, que les apothicaires administraient avec une seringue en cuivre.

2. *Afin que je raisonne tantôt avec vous de sa maladie :* afin que je discute tout à l'heure avec vous des causes de sa maladie.
3. *L'amuser :* détourner son attention.

180 Monsieur, c'est une grande et subtile question entre les doctes[1], de savoir si les femmes sont plus faciles à guérir que les hommes. Je vous prie d'écouter ceci, s'il vous plaît. Les uns disent que non, les autres disent que oui ; et moi je dis que oui et non : d'autant que l'incongruité des humeurs opaques

185 qui se rencontrent au tempérament naturel des femmes étant cause que la partie brutale veut toujours prendre empire sur la sensitive[2], on voit que l'inégalité de leurs opinions dépend du mouvement oblique du cercle de la lune ; et comme le soleil, qui darde[3] ses rayons sur la concavité[4] de la terre, trouve…

190 LUCINDE – Non, je ne suis point du tout capable de changer de sentiments.

GÉRONTE – Voilà ma fille qui parle ! Ô grande vertu[5] du remède ! Ô admirable médecin ! Que je vous suis obligé, Monsieur, de cette guérison merveilleuse[6] ! et que puis-je faire pour vous

195 après un tel service ?

SGANARELLE, *se promenant sur le théâtre, et s'essuyant le front* – Voilà une maladie qui m'a bien donné de la peine !

LUCINDE – Oui, mon père, j'ai recouvré[7] la parole ; mais je l'ai recouvrée pour vous dire que je n'aurai jamais d'autre époux

---

Vocabulaire

1. *Doctes* : savants.
2. Traduction grosso modo : « D'autant que l'incompatibilité des substances liquides que l'on trouve dans le corps des femmes, entraînant le fait que la partie animale veut toujours l'emporter sur la partie raisonnable »… Cette théorie sur les femmes est évidemment inventée.

3. *Darde* : lance.
4. *Concavité* : partie creuse.
5. *Vertu* : efficacité.
6. *Merveilleuse* : miraculeuse.
7. *Recouvré* : retrouvé.

200 que Léandre, et que c'est inutilement que vous voulez me
donner Horace.

GÉRONTE – Mais...

LUCINDE – Rien n'est capable d'ébranler[1] la résolution que j'ai
prise.

205 **GÉRONTE** – Quoi...?

LUCINDE – Vous m'opposerez en vain de belles raisons[2].

GÉRONTE – Si...

LUCINDE – Tous vos discours ne serviront de rien.

GÉRONTE – Je...

210 **LUCINDE** – C'est une chose où je suis déterminée[3].

GÉRONTE – Mais...

LUCINDE – Il n'est puissance paternelle qui me puisse obliger à
me marier malgré moi.

GÉRONTE – J'ai...

215 **LUCINDE** – Vous avez beau faire tous vos efforts.

GÉRONTE – Il...

LUCINDE – Mon cœur ne sauroit se soumettre à cette tyrannie[4].

GÉRONTE – Là...

Vocabulaire

1. *D'ébranler :* d'écrouler.
2. *De belles raisons :* de bons arguments.

3. *Où je suis déterminée :* que j'ai décidée.
4. *Tyrannie :* autorité oppressive, dictature paternelle.

LUCINDE – Et je me jetterai plutôt dans un convent que[1] d'épou-
220 ser un homme que je n'aime point.

GÉRONTE – Mais...

LUCINDE, *parlant d'un ton de voix à étourdir* – Non. En aucune
façon. Point d'affaire[2]. Vous perdez le temps. Je n'en ferai
rien. Cela est résolu.

225 GÉRONTE – Ah! quelle impétuosité[3] de paroles! Il n'y a pas
moyen d'y résister. Monsieur, je vous prie de la faire rede-
venir muette.

SGANARELLE – C'est une chose qui m'est impossible. Tout ce
que je puis faire pour votre service est de vous rendre sourd,
230 si vous voulez.

GÉRONTE – Je vous remercie[4]. Penses-tu donc...

LUCINDE – Non. Toutes vos raisons ne gagneront rien sur mon
âme[5].

GÉRONTE – Tu épouseras Horace, dès ce soir.

235 LUCINDE – J'épouserai plutôt la mort[6].

SGANARELLE – Mon Dieu! arrêtez-vous, laissez-moi médicamenter cette affaire. C'est une maladie qui la tient, et je sais le
remède qu'il y faut apporter.

Vocabulaire

1. *Je me jetterai plutôt dans un cou-vent que* : j'irai m'enfermer dans un couvent plutôt que.
2. *Point d'affaires* : il n'y a rien à faire.
3. *Impétuosité* : vivacité.
4. *Je vous remercie* : non, merci.

5. *Ne gagneront rien sur mon âme* : ne me feront pas changer d'avis.
6. *J'épouserai plutôt la mort* : je préfèrerai me suicider.

GÉRONTE – Serait-il possible, Monsieur, que vous pussiez aussi
240   guérir cette maladie d'esprit ?

SGANARELLE – Oui : laissez-moi faire, j'ai des remèdes pour tout,
et notre Apothicaire nous servira pour cette cure. *(Il appelle
l'Apothicaire et lui parle.)* Un mot. Vous voyez que l'ardeur[1]
qu'elle a pour ce Léandre est tout à fait contraire aux volon-
245   tés du père, qu'il n'y a point de temps à perdre, que les
humeurs sont fort aigries[2], et qu'il est nécessaire de trouver
promptement un remède à ce mal, qui pourrait empirer par
le retardement[3]. Pour moi, je n'y en vois qu'un seul, qui
est une prise de fuite purgative[4], que vous mêlerez comme
250   il faut avec deux drachmes[5] de matrimonium[6] en pilules.
Peut-être fera-t-elle quelque difficulté à prendre ce remède ;
mais, comme vous êtes habile homme dans votre métier,
c'est à vous de l'y résoudre[7], et de lui faire avaler la chose
du mieux que vous pourrez. Allez-vous-en lui faire faire un
255   petit tour de jardin, afin de préparer les humeurs, tandis que
j'entretiendrai ici son père ; mais surtout ne perdez point de
temps : au remède vite, au remède spécifique[8] !

Vocabulaire

1. *L'ardeur :* l'amour enflammé.
2. *Aigries :* mauvaises (cf. note 2 p. 46).
3. *Empirer par le retardement :* s'aggraver par le retard.
4. *Purgative :* permettant de résoudre le problème.
5. *Deux drachmes :* environ 7 grammes.
6. *Matrimonium :* véritable mot latin signifiant « mariage ». Sganarelle dicte à l'apothicaire une fausse ordonnance médicale dans laquelle, de façon cryptée, il ordonne à Léandre d'enlever Lucinde et de la persuader qu'ils aillent se marier en secret.
7. *Résoudre :* obliger.
8. *Spécifique :* approprié, adapté (à la situation).

Scène 7

GÉRONTE, SGANARELLE

GÉRONTE – Quelles drogues[1], Monsieur, sont celles que vous venez de dire? il me semble que je ne les ai jamais ouï[2]
260 nommer.

SGANARELLE – Ce sont drogues dont on se sert dans les nécessités urgentes.

GÉRONTE – Avez-vous jamais vu une insolence pareille à la sienne?

265 SGANARELLE – Les filles sont quelquefois un peu têtues.

GÉRONTE – Vous ne sauriez croire comme elle est affolée[3] de ce Léandre.

SGANARELLE – La chaleur du sang fait cela dans les jeunes esprits.

GÉRONTE – Pour moi, dès que j'ai eu découvert la violence de
270 cet amour, j'ai su tenir toujours ma fille renfermée.

SGANARELLE – Vous avez fait sagement.

GÉRONTE – Et j'ai bien empêché qu'ils n'aient eu communication ensemble[4].

SGANARELLE – Fort bien.

275 GÉRONTE – Il serait arrivé quelque folie, si j'avais souffert[5] qu'ils se fussent vus.

Vocabulaire

1. *Drogues* : médicaments.
2. *Ouï* : entendu.
3. *Affolée* : follement amoureuse.
4. *Qu'ils n'aient eu communication ensemble* : qu'ils puissent communiquer.
5. *Souffert* : accepté.

Sganarelle – Sans doute.

Géronte – Et je crois qu'elle aurait été fille à s'en aller avec lui.

Sganarelle – C'est prudemment raisonné.

280 **Géronte** – On m'avertit qu'il fait tous ses efforts pour lui parler.

Sganarelle – Quel drôle[1].

Géronte – Mais il perdra son temps.

Sganarelle – Ah! ah!

285 **Géronte** – Et j'empêcherai bien qu'il ne la voye.

Sganarelle – Il n'a pas affaire à un sot, et vous savez des rubriques[2] qu'il ne sait pas. Plus fin que vous n'est pas bête.

Scène 8
Lucas, Géronte, Sganarelle

Lucas – Ah! paisanguenne, Monsieur, vaici bian du tinta-marre[3] : votre fille s'en est enfuie avec son Liandre. C'étoit
290 lui qui étoit l'Apothicaire; et velà Monsieu le Médecin qui a fait cette belle opération-là.

Géronte – Comment? m'assassiner[4] de la façon! Allons, un commissaire! et qu'on empêche qu'il ne sorte. Ah, traître! je vous ferai punir par la justice.

Vocabulaire
1. *Drôle* : vaurien.
2. *Rubriques* : ruses.
3 *Vaici bian du tintamarre* : voici bien du bruit (de l'agitation, du scandale).
4. *M'assassiner* : m'accabler, me trahir.

Le Médecin malgré lui

295 **Lucas** – Ah! par ma fi! Monsieur le Médecin, vous serez pendu : ne bougez de là seulement.

Scène 9

MARTINE, SGANARELLE, LUCAS

Martine – Ah! mon Dieu! que j'ai eu de peine à trouver ce logis! Dites-moi un peu des nouvelles du médecin que je vous ai donné.

300 **Lucas** – Le velà, qui va être pendu.

Martine – Quoi? mon mari pendu! Hélas! et qu'a-t-il fait pour cela?

Lucas – Il a fait enlever la fille de notre maître.

Martine – Hélas! mon cher mari, est-il bien vrai qu'on te va
305 pendre?

Sganarelle – Tu vois. Ah!

Martine – Faut-il que tu te laisses mourir en présence de tant de gens?

Sganarelle – Que veux-tu que j'y fasse?

310 **Martine** – Encore si tu avois achevé de couper notre bois, je prendrois quelque consolation.

Sganarelle – Retire-toi de là, tu me fends le cœur.

Martine – Non, je veux demeurer pour t'encourager à la mort, et je ne te quitterai point que je ne t'aie vu[1] pendu.

Vocabulaire
1. *Que je ne t'aie vu* : avant de t'avoir vu.

315 SGANARELLE – Ah!

Scène 10
GÉRONTE, SGANARELLE, MARTINE, LUCAS

GÉRONTE – Le Commissaire viendra bientôt, et l'on s'en va vous mettre en lieu où l'on me répondra de vous[1].

SGANARELLE, *le chapeau à la main*[2] – Hélas! cela ne se peut-il point changer en quelques coups de bâton?

320 GÉRONTE – Non, non : la justice en ordonnera[3]... Mais que vois-je?

Scène 11 et dernière
LÉANDRE, LUCINDE, JACQUELINE, LUCAS,
GÉRONTE, SGANARELLE, MARTINE

LÉANDRE – Monsieur, je viens faire paraître Léandre à vos yeux, et remettre Lucinde en votre pouvoir. Nous avons eu dessein de prendre la fuite nous deux, et de nous aller marier ensemble; mais cette entreprise a fait place à un procédé plus honnête. Je ne prétends point vous voler votre fille, et ce n'est que de votre main que je veux la recevoir. Ce que je vous dirai, Monsieur, c'est que je viens tout à l'heure de

---

Vocabulaire

1. *Où l'on me répondra de vous* : où l'on vous tiendra enfermé (en prison).
2. En signe de respect et de soumission.

3. *En ordonnera* : rendra son jugement.

recevoir des lettres par où j'apprends que mon oncle est
330   mort, et que je suis héritier de tous ses biens.

GÉRONTE – Monsieur, votre vertu m'est tout à fait considérable[1],
et je vous donne ma fille avec la plus grande joie du monde.

SGANARELLE – La médecine l'a échappé belle!

MARTINE – Puisque tu ne seras point pendu, rends-moi grâce[2]
335   d'être médecin; car c'est moi qui t'ai procuré cet honneur.

SGANARELLE – Oui, c'est toi qui m'as procuré je ne sais combien
de coups de bâton.

LÉANDRE – L'effet[3] en est trop beau pour en garder du ressentiment[4].

340 **SGANARELLE** – Soit : je te pardonne ces coups de bâton en faveur
de la dignité où tu m'as élevé; mais prépare-toi désormais à
vivre dans un grand respect avec un homme de ma conséquence[5], et songe[6] que la colère d'un médecin est plus à
craindre qu'on ne peut croire.

Vocabulaire

1. *Votre vertu m'est tout à fait considérable :* votre valeur est pour moi
tout à fait digne de considération.
2. *Rends-moi grâce :* remercie-moi.
3. *L'effet :* le résultat.

4. *Du ressentiment :* de la rancune.
5. *De ma conséquence :* de mon im-
portance.
6. *Songe :* dis-toi.

La querelle

LECTURE

Lecture d'ensemble (Œuvre intégrale)

1. La pièce contient trois longues disputes, une par acte.
Retrouvez-les en précisant les scènes et les personnages en conflit.
2. Quels sont les points communs et les différences entre ces disputes ?
3. Dans chacune des grandes disputes, Molière réussit à fait rire le public. Trouvez comment en reliant les deux tableaux suivants :

	Le public rit en voyant... :
Dispute n°1	... un père dominé par sa fille
Dispute n°2	... un mari dominé par sa femme
Dispute n°3	... un patron dominé par son employé

4. Sganarelle n'est pas un exemple au début de la pièce : mari violent, père indigne, artisan ruiné. Montrez qu'il parvient cependant, au cours de la pièce, à jouer le rôle de l'homme idéal incontesté, qui plaît aux femmes, qui comprend la jeunesse et qui s'enrichit tout en se faisant estimer.

5. D'un bout à l'autre de la pièce, il y a un personnage qui ne décolère pas contre Sganarelle et qui ne le respecte pas, c'est ...
❑ Lucas   ❑ Jacqueline   ❑ Martine

Lecture linéaire (Acte I, scène1)

6. Complètez le texte en utilisant les informations que nous communiquent les deux personnages.
La pièce se passe au temps de .... Cette scène, qui a lieu à la ..., nous montre un ... et sa femme en train de se ... violemment. Elle est en colère parce qu'il ne ... pas et gaspille ... jusqu'à réduire sa famille à la .... Il se ... de ces reproches et en arrive à ... son épouse pour la réduire au ....

7. La scène est un duel composé de trois parties : l'une où Sganarelle est dominé verbalement par sa femme, une autre où il prend le dessus physiquement, et une autre encore où il fait jeu égal avec sa « chère moitié ». Placez dans le tableau les signes « - », « + » et « = » pour indiquer ces différents moments du texte.

p.9-11, lignes 1-33	p.11-12, lignes 34-57	p.12-13, lignes 58-88

8. Quels sont les traits de caractère de Martine (ses qualités et ses défauts) ? Quels reproches adresse-t-elle à son mari ?

9. Comment Sganarelle se voit-il lui-même (relisez en particulier les lignes 12-15, p.9-10) ? Comment apparaît-il aux spectateurs ? Quelle explication peut-on trouver à ses difficultés actuelles ?

Lecture d'image (rabat de l'ouvrage)

10. À votre avis, pourquoi la femme du second plan a les bras croisés ?

Étude de la langue (acte I, scène1)

Grammaire

11. À quoi renvoie le pronom « en » dans la première réplique ?

12. Quel type de phrases est majoritaire dans les dix premières répliques de la pièce ?

NOTIONS LITTÉRAIRES
La scène d'exposition

On appelle ainsi **la partie ouvrant la pièce** qui fait connaître les faits nécessaires à la compréhension de la situation initiale. L'auteur fait en sorte que les personnages, sans en avoir l'air, communiquent au public des informations sur leur biographie et leur caractère (**qui ?**), sur l'époque (**quand ?**) et le lieu de l'action (**où ?**), leur situation présente (**quoi ?**) et les causes de celle-ci (**pourquoi ?**). La difficulté pour l'auteur est de transmettre tous ces renseignements de façon vraisemblable et non ennuyeuse. En général, l'exposition se fait par un dialogue entre deux personnages principaux (comme ici) ou entre le héros et son confident (*Le Misanthrope*, 1666), rarement par un monologue (*George Dandin*, 1668).

Orthographe/Conjugaison

13. Écrivez, dans le tableau suivant, les modes verbaux utilisés par les époux lorsqu'ils évoquent leurs noces (p. 10-11, lignes 18-33).

« avisai », « fit », « est », « méritais », « fis », « eus », « suffit », « savons », « fus »	« devrais », « dirais »	« fais », « laissons »	« soit »

Vocabulaire

14. Combien d'insultes différentes adresse Martine à Sganarelle durant la scène ? Laquelle vous paraît la plus drôle ?

15. Quel procédé amusant utilise Sganarelle (p. 12-13, lignes 66-75) pour répondre à la violence verbale de Martine ? (Relevez l'opposition des champs lexicaux.)

EXPRESSION

Expression écrite

16. Imaginez une scène de ménage au cours de laquelle les époux se traitent, au sens littéral de l'expression, de noms d'oiseaux (« Perroquet déplumé ! », etc.) ; la dispute se terminera de façon amusante et heureuse…

Méthode ▶ **Comment aborder un dialogue de théâtre**

Le dialogue de théâtre, destiné aux spectateurs, imite les dialogues réels. Dans ceux-ci, les personnes coopèrent pour se transmettre des informations et faire avancer la conversation. Pour étudier comment l'auteur fabrique, dans un dialogue de théâtre, les **interactions** entre les personnages, on doit se poser (pour chaque réplique ou série de répliques) les questions suivantes :

→ L'interlocuteur parle-t-il ou répond-il à l'autre d'une façon adaptée à la situation, pertinente, avec à-propos ? Dit-il la vérité ? Donne-t-il toutes les informations attendues ? Parle-t-il clairement, sans équivoque ? S'efforce-t-il de prendre le dessus en parlant beaucoup (répartition volumétrique des répliques) ? Sur quel(s) mot(s) prononcé(s) par l'autre enchaîne-t-il sa réplique ? Que cherche-t-il à obtenir de l'autre ? Quels sujets (en général deux ou trois, formant des séquences de répliques) aborde-t-il successivement ?

ÉTUDE DE L'ŒUVRE

La tromperie

LECTURE

Lecture d'ensemble (Œuvre intégrale)

1. Parmi ces personnages, lequel n'est pas un trompeur ?

❏ Martine   ❏ Lucinde   ❏ Léandre   ❏ Géronte

2. Recherchez le sens exact du mot « tromperie » et précisez quelle est celle qui se déploie dans les trois actes.

3. Une tromperie est une machination qui fonctionne en trois temps :

Situation initiale (supposant un manque ou un danger)	Ruse (changement d'identité ou de comportement)	Situation finale (inversant, normalement, la situation initiale)

Complétez le tableau suivant qui décrit le mécanisme en trois étapes de chaque tromperie de la pièce.

		situation initiale	Ruse	situation finale
Actes I,II,III	Tromperie de Martine	Honte, humiliation	....	Honneur rétabli, vengeance réalisée
Actes II ,III	....	Ennui, pauvreté	Accepter de se faire passer pour médecin	....
Actes II,III	Tromperie de Lucinde	....	....	Retardement du mariage avec Horace
Actes III	Tromperie de Léandre	Tristesse, inquiétude	....	Rencontre avec Lucinde, fuite, bonheur

4. Comme tout mécanisme, une tromperie peut cesser de fonctionner parce que la ruse est devinée ou révélée ; citez l'exemple d'une scène où un personnage découvre une tromperie d'autrui.

5. La tromperie de Sganarelle consistant à se faire passer pour un vrai médecin s'arrête-t-elle à la fin de la pièce ? Justifiez votre réponse.

6. *Le Médecin malgré lui* présente des tromperies en série.
Les trompeurs y sont fréquemment trompés, ceux qui se croient malins tombant sur plus malins qu'eux !
Récapitulez qui sont les trompeurs, les trompés et … les trompeurs trompés.

Lecture linéaire (Acte I, scène 5)

7. Seul au début de la scène, Sganarelle se montre tel qu'il est, au naturel ; le voit-on soucieux de Martine et de sa promesse de ramener « plus d'un cent de fagots » (sc. 2) ?

8. Cette scène présente trois quiproquos (voir encadré Méthode, p. 79) entraînant des situations comiques ; lequel durera toute la pièce ?

9. L'idée de tromperie est partout présente dans cette scène ; montrez que les personnages sont en fin de compte à la fois des trompeurs et des trompés.

10. Qu'est-ce qui relève du comique de farce dans cette scène ? (voir l'encadré Histoire des arts, p. 78)

11. Quels sont les trois attitudes et les trois « visages » différents de Sganarelle dans cette scène ?

12. Cette scène précise le caractère de Sganarelle. Récapitulez ce que nous savions déjà de lui depuis la scène 1 (et la scène 2) et les traits de caractère nouveaux que nous découvrons dans cette scène 5.

Lecture d'image

13. Quels éléments (objets, costumes, gestes) permettent de différencier et d'identifier chaque personnage ?

14. L'attitude du personnage de droite s'oppose à celle des deux autres ; pourquoi ? Quel(s) moment(s) de la scène 5 cette gravure illustre-t-elle ?

Gravure : frontispice de l'édition originale (1666).

Étude de la langue (Acte I, scène 5)

Grammaire

15. Page 26, l. 338-339 : « Si vous savez les choses, vous savez que je les vends cela. » Distinguez la classe grammaticale des deux « les ».

16. À la fin de la scène, Lucas dit : « Nous vous conduirons. Il est question d'aller voir une fille, qui a perdu la parole. » (p. 32, l. 449-450). Situez dans le temps (passé/présent/futur) les trois verbes conjugués contenus dans cette réplique.

Orthographe

17. Cherchez les dix erreurs qui ont été glissées dans cette didascalie :
Ici il pose la bouteille à taire, et Valère se baissant pour le saluer, comme il croix que c'est à dessin de la prendre, il la mais de l'autre côté : en suite de quoi, Lucas fesant la même chose, il la reprent, et la tien contre sont estomac, avec divers gestes qui fond un grand jeu de théâtre.

HISTOIRE DES ARTS
La farce (française) sous Louis XIV

La farce française est un genre populaire de théâtre comique apparu à la fin du Moyen Âge vers 1450 (*Farce de Maître Pathelin*, 1460) et disparu vers 1650 avec le farceur Tabarin ; on a conservé les

Tabarin à Paris, place Dauphine
Gravure d'Abraham Bosse, début
XVIIe, domaine public, Gallica,BNF

textes d'environ deux cents farces. Elles étaient jouées sans décor, sur des tréteaux en plein air, pendant les marchés. Dans ces pièces courtes en un acte, qui sont des machines à critiquer les ridicules et à faire rire, des gens de la vie courante (mari et femme, paysan, marchand, valet, médecin…) se trompent mutuellement et se jouent en permanence des mauvais tours à grand renfort de jeux de mots, de mouvements du corps (grimaces, coups de bâton, gestes obscènes) et de jurons ; leur seule morale – très terre-à-terre – est : à malin, malin et demi ! Molière (1622-1673) enfant a vu des farces, en interpréta des quantités en province jusqu'à trente-six ans et a gagné la faveur du jeune Louis XIV (1638-1715) en le faisant rire aux éclats dans *Le Docteur amoureux* en 1658 ; les divertissements de cour qu'il créera ensuite pour le Roi-Soleil s'inspireront des farces (*Le Malade imaginaire*, 1670).

EXPRESSION

Expression écrite

18. Un quiproquo s'installe lors d'une conversation téléphonique : votre interlocuteur vous prend pour quelqu'un d'autre (votre mère, votre père…) en étant certain, quoi que vous disiez, que vous êtes la personne qu'il croit que vous êtes !

19. Imaginez l'histoire d'une tromperie où une personne se fait passer pour une autre afin de participer à une compétition sportive ; votre récit se terminera par un retournement de situation (trompeur trompé) et, éventuellement, par un proverbe de votre choix.

Expression orale

20. Préparez un petit discours pour expliquer à quoi sert le rire (le fait de rire et celui de faire rire) et apprêtez-vous à le lire devant la classe.

PATRIMOINE

21. Quel est le personnage animalisé redoutable qui personnifiait la ruse au Moyen Âge et dont une vingtaine d'auteurs anonymes dans toute l'Europe racontèrent les tours et les tromperies ?

22. Recherchez au CDI la célèbre photo intitulée *L'arroseur arrosé* prise par Louis Lumière en 1895 ; décrivez-la et expliquez en quoi consiste le gag qu'elle donne à voir.

Méthode | *Le quiproquo : savoir l'analyser, savoir le fabriquer*

Un quiproquo (du latin *quid pro quo*, « quelque chose pour autre chose ») est le fait de **prendre une chose ou une personne pour une autre** et décrit la situation que cela entraîne. L'erreur peut porter sur deux objets semblables (prendre un cachet pour un bonbon, par exemple) ou sur l'identité, le métier, le comportement d'un individu. Au théâtre, c'est un procédé qui **déclenche une situation comique**. Pour analyser un quiproquo, on cherchera **ce que croient les personnages** en présence, les mots et expressions à double sens qu'ils interprètent différemment, **la situation qui en résulte** et enfin **la façon dont le quiproquo est levé**, c'est-à-dire comment ils comprennent qu'ils se sont trompés. Pour en fabriquer un, on imaginera deux personnages qui dialoguent en croyant se comprendre et qui réalisent finalement qu'ils parlaient chacun d'un sujet différent.

ÉTUDE DE L'ŒUVRE

La médecine

LECTURE

Lecture d'ensemble (Œuvre intégrale)

1. Sganarelle a quelques vagues notions de médecine ; d'où lui viennent-elles (Acte I, scène 1) ? Citez une ou deux scènes où il mêle connaissances réelles et inventions farfelues.

2. Quelles sont les deux principales consultations que donne le pseudo-médecin Sganarelle et quelle est la grande différence entre les deux femmes malades et les deux maladies ?

3. Quels sont les trois remèdes préconisés par Sganarelle dans les scènes II,4, III,2 et III,6 ? Pourquoi sont-ils drôles ?

4. Cherchez quelques raisons pouvant expliquer que Géronte, en particulier, ne doute jamais que Sganarelle soit un vrai médecin.

5. Recherchez dans la scène 1 de l'acte III, où Sganarelle quitte provisoirement son rôle de médecin, le passage où il fait l'éloge de ce métier ; listez les avantages qu'il présente à ses yeux.

6. Sganarelle n'est pas médecin mais passe pour l'être ; à travers lui, Molière fait la satire de la majorité des médecins de son temps. Complétez le tableau suivant qui récapitule les critiques qui sont faites et les scènes qui les exposent de façon comique.

Bilan : la satire des médecins dans *Le Médecin malgré lui*		
En ce qui concerne leur relation avec …	Les critiques adressées aux médecins :	Exemples de scènes illustrant de façon comique ces critiques :
… le savoir médical	…………………………	II,4
… les malades	Ils n'ont aucune humanité	…………………………
… les femmes	…………………………	Séduction de Jacqueline : II,2 ; II,3 ; III,3.
… les chefs de famille	…………………………	II,2 (Géronte battu)
… l'argent	…………………………	…………………………

Lecture linéaire (Acte II, scène 4)

7. Montrez que cette scène place individuellement chacun des personnages principaux dans une situation qui prête à rire.

8. Cette longue scène suit le déroulement habituel d'une visite médicale au XVIIe siècle. Montrez-le en reliant les deux tableaux.

Les moments de la scène		Les étapes de la consultation
l. 189-232 p. 42-44		l'explication
l. 233-234 p. 44		la prescription
l. 235-243 p. 44-45		les honoraires
l. 244-310 p. 45-48		l'interrogatoire
l. 311-325 p. 45-49		la prise du pouls
l. 344-364 p. 50-51.		le diagnostic

9. Montrez que cette consultation est une parodie.

10. Comment les personnages voient-ils Sganarelle ? Dans cette scène, quel trait de caractère comique ont-ils tous en commun ?

11. Cette scène est une épreuve périlleuse pour Sganarelle. À quels moments est-il en difficulté ? Par quels procédés verbaux parvient-il néanmoins à fasciner son public sur scène et à faire éclater de rire les spectateurs qui sont dans la salle ?

12. Repérez les passages où le comique de gestes est prédominant. (voir encadré *Les formes du comique*, p. 82)

Lecture d'image

13. Observez la moitié supérieure du tableau. Comment Tulp est-il mis en valeur ? Qu'explique-t-il directement, sans livre, à ses sept collègues ? Quelles sont leurs réactions ?

14. Que représente la moitié inférieure du tableau ? Quel est son lien avec la moitié supérieure et comment ce lien est-il souligné par l'éclairage ?

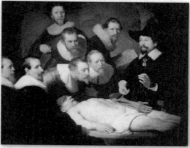

Rembrandt *La Leçon d'anatomie du docteur Tulp* (1632).

ÉTUDE DE L'ŒUVRE

Étude de la langue (Acte II, scène 4)

Grammaire

15. Page 43, l. 195-196 : « Voilà une malade qui n'est pas tant dégoûtante : et je tiens qu'un homme bien sain s'en accommoderait assez. » Dans cette réplique de Sganarelle, relevez les deux adjectifs qualificatifs et indiquez leur fonction grammaticale, qui est différente.

16. Combien de pronoms et de déterminants contient la phrase suivante : « Celui qu'elle doit épouser veut attendre sa guérison pour conclure les choses » (page 43, l. 215-216) ?

Vocabulaire

17. Relevez dans cette scène sept mots (noms, adjectifs, verbes) appartenant au champ lexical de la médecine.

18. Expliquez le sens de la phrase de Jacqueline : « je ne veux point faire de mon corps une boutique d'apothicaire » (page 49, l. 271-275).

NOTIONS LITTÉRAIRES
Les formes de comique

Il existe quatre formes de comique ; ils se distinguent par les procédés utilisés pour déclencher le rire (ou le sourire) du public :

– **Le comique de situation** provient de la situation ridicule où se trouve placé un personnage suite à un quiproquo, une ruse, un déguisement, un renversement soudain de situation, une rencontre embarrassante.

– **Le comique de mots** repose sur les jeux de mots (double sens, calembours), les déformations de langage (mots inventés ou mal prononcés), les jurons et les injures, les raisonnements absurdes.

– **Le comique de gestes** résulte du jeu non verbal de chaque acteur : gestes (coups, chutes, mouvements des mains…), voix (cris, intonation), démarche, postures, grimaces.

– **Le comique de caractère** est lié à un trait de caractère (jalousie, avarice, hypocrisie, naïveté, vanité…) d'un personnage ; ce défaut moral évident et démesuré entraîne des manies et des manières amusantes.

ÉTUDE DE L'ŒUVRE

EXPRESSION

Expression écrite

19. Un(e) élève, en arrivant au collège, décide de jouer le faux (ou la fausse) malade en faisant croire pendant un moment à ses ami(e)s qu'il (elle) a une extinction de voix. Racontez cette blague.

Expression orale

20. Choisissez à deux ou à trois, dans la scène 4 de l'acte III, un passage d'une vingtaine de répliques et entraînez-vous pour le dire de votre mieux en classe, en restant à votre place. Vous pourrez, si vous le souhaitez, accompagner votre diction de mimiques et de gestes.

PATRIMOINE

21. Faites des recherches sur la théorie des quatre humeurs (théorie humorale), héritée d'Hippocrate et Galien, qui prévalait encore pour diagnostiquer et soigner au XVIIᵉ siècle ; quelle est la théorie moderne qui l'a remplacée ?

Habit de médecin, gravure de Nicolas de Larmessin (XVIIᵉ), BNF.

22. Selon vous, sur quoi se fondait le savoir des médecins d'après cette image ?

Méthode ▶ *Comment dire une réplique de théâtre*

La voix est la base de la formation du comédien et du jeu théâtral.
On sélectionnera une réplique à travailler sous trois angles :

➔ travail de **diction**. Il consiste, seul ou en groupe, à jouer sur le souffle (en allongeant les syllabes d'un mot), la résonance (en adaptant la voix à la distance du destinataire), le rythme, l'articulation, le relief (en plaçant un silence juste avant un mot clé).

➔ travail de **prononciation**. On s'amusera à varier les façons de dire (accents régionaux ou étrangers), les déformations (bégaiement, zozotement, murmure, quinte de toux) ou à imiter la manière de parler d'une célébrité.

➔ travail d'**intonation**. Il consiste à explorer les sens potentiels d'une réplique, l'émotion dont elle est susceptible d'être chargée : colère, joie, tristesse, peur, etc.

ÉTUDE DE L'ŒUVRE

Le déguisement

LECTURE

Lecture d'ensemble (Œuvre intégrale)

1. Relevez, dans la scène 4 de l'acte I, les termes qui décrivent le costume ordinaire et quotidien du fagotier Sganarelle. Est-il vêtu comme un paysan ou comme un personnage coupé du réel, appartenant au monde du théâtre comique ?

2. Montrez que Sganarelle, à l'acte I, passe pour déguisé alors qu'il est naturel et sincère. Que se produit-il, inversement, aux actes II et III ?

3. Quels vêtements et accessoires utilisent Sganarelle (II,2) et Léandre (III,1) pour se déguiser ? Se sentent-ils aussi à l'aise l'un que l'autre dans leur rôle ? Justifiez votre réponse.

4. Que signifie, selon vous, la phrase prononcée par Sganarelle acte III, scène 1 : « Il suffit de l'habit » ?

5. Montrez que Sganarelle et Léandre sont forcés de se déguiser et de jouer la comédie, mais qu'ils en tirent finalement profit.

6. Quelle sorte de déguisement utilise Lucinde ?

Lecture linéaire (Acte III, scène 6)

7. Au début de cette scène, trois personnages sur quatre dissimulent la vérité en déguisant leur identité ou leur état ; lesquels ?

❑ Sganarelle ❑ Géronte ❑ Lucinde ❑ Léandre

8. Le déguisement de Léandre en assistant médical a plusieurs effets successifs ; précisez lesquels en utilisant ce tableau résumant le déroulement de la scène.

Acte III, scène 6				
	Entrée de Lucinde (p. 61, l. 71-74)	Discours de Sganarelle sur la guérison des femmes (p. 63-64, l. 175-189)	Guérison et discours de Lucinde (p. 64-66, l. 190-235)	Diagnostic et ordonnance ; sortie de Lucinde et Léandre
Le déguisement de Léandre permet...	....	....	La libération verbale de l'amoureuse	....

ÉTUDE DE L'ŒUVRE

9. On sait, par des témoignages du XVIIe siècle, que Molière acteur était un mime extraordinaire. Recherchez, dans la scène précédente (III, 5) et au début de cette scène 6, les deux didascalies concernant le jeu corporel de Sganarelle ; quels gestes comiques fait-il et dans quel but ?

10. Dans cette scène, Sganarelle manipule l'espace à sa guise. Montrez-le en complétant, avec les phrases suivantes, le tableau qui indique les passages où le personnage intervient sur l'espace.

    a. Il divise l'espace en deux couples.

    b. Il ferme un espace intérieur (crée une frontière).

    c. Il invente un espace médical extravagant.

    d. Il occupe en maître tout l'espace.

    e. Il s'interpose entre deux espaces en conflit.

    f. Il ordonne le déplacement d'un personnage.

    g. Il ouvre un espace extérieur (détruit une frontière).

	Entrée de Lucinde	Discours sur la guérison des femmes		Guérison de Lucinde	Discours de Lucinde	Diagnostic et ordonnance ; sortie de Lucinde et Léandre	
Actions de Sganarelle sur l'espace	p. 63, l. 172-174 :	p. 63, l. 175-179 (didascalie) : b, ...	p. 61, l. 180-189 :	p. 62, l. 196 (didascalie) :	p. 64, l. 236-238 :	p. 67, l. 242-243 (didascalie) : ......, f	p. 67, l. 248-257 : ......

11. Quel personnage lève soudain le masque, pourquoi et comment ? Cette voix de la vérité et de la sincérité a-t-elle un effet heureux ?

12. À la fin de la scène (l. 243-257 p. 67), quel déguisement langagier, basé sur la double énonciation, utilise Sganarelle pour conseiller Léandre ?

13. Pourquoi le passage où Lucinde se met à parler fait-il rire ?

Lecture d'image

14. Sur quel moment de l'acte III, sc. 6 portent ces deux croquis préparatoires du metteur en scène italien Dario Fo en vue d'une représentation à la Comédie-Française ?

15. Quel est le costume de Sganarelle ? Comment est-il utilisé ici ?

Dessin de Dario Fo (1990)

ÉTUDE DE L'ŒUVRE

Étude de la langue (Acte III, scène 6)

Grammaire

16. Relevez, dans la scène, une réplique qui contient trois phrases verbales et trois phrases non verbales. Qu'ont-elles en commun ?

17. Page 65, l. 203-217, Lucinde exprime son opposition en huit phrases ; triez-les en phrases de forme affirmative et en phrases de forme négative.

Orthographe

18. Page 64, l. 190-191 : « Non, je ne suis point du tout capable de changer de sentiment. » Récrivez la phrase en remplaçant « je » par « nous ». Que constatez-vous ? Pourquoi ?

19. Justifiez la terminaison du participe passé dans la phrase : « Voilà une maladie qui m'a bien donné de la peine ! » (Page 64, l. 197)

Vocabulaire

20. Dans sa dernière réplique, où il s'adresse à Léandre, dans quel(s) sens Sganarelle emploie-t-il le mot « remède » ? Quel est le procédé comique utilisé ici ?

21. Relevez dans les didascalies les mots désignant des parties du corps. À quoi servent-ils ici ?

HISTOIRE DES ARTS
La commedia dell'arte sous Louis XIV

La commedia dell'arte est un genre de **théâtre comique italien né au** XVIe siècle. Les farceurs qui la pratiquent **improvisent** totalement à partir d'un canevas commun cloué en coulisses et jouent des personnages-types **portant des masques et costumes caractéristiques** (Arlequin, Pantalon, Scaramouche, Scapin, le Docteur, le Capitan etc.). Le jeu des acteurs est basé sur l'**énergie corporelle** (pirouettes, mouvements de mains, roulades), l'occupation de l'espace, l'échange complice avec le public et le comique de gestes. Molière admire les farceurs italiens de son temps et s'inspire dans tous ses spectacles de leur entrain, de leur gestuelle (par exemple au début de I,5) et de leur façon d'utiliser tout l'espace scénique disponible (par exemple, III,6). Voir l'illustration sur le rabat de la couverture, Molière se trouve à gauche.

EXPRESSION

Expression écrite

22. Des êtres du futur découvrent les restes d'un théâtre du xxie siècle et se demandent à quoi pouvait servir un tel lieu et ce qu'on y faisait. Imaginez le récit de leur découverte, les questions qu'ils se posent et les hypothèses qu'ils font.

23. Molière vous confie la préparation au Palais-Royal de la première représentation du *Médecin malgré lui*. Vous devez vous occuper des accessoires à acheter (objets indispensables, liste des costumes) et des décors à fabriquer.

Expression orale

24. Voici un canevas, inspiré d'un scénario de commedia dell'arte, contenant des indications scéniques pour improviser une scène à trois personnages A, B et C, où A est un(e) ami(e) de B et de C qui s'aiment mais qui se sont disputés.

A entre, regarde dans tous les coins de la salle, et ne voyant personne, appelle. B accourt, affolé(e), et implore son aide. A résiste mais se laisse finalement attendrir et promet de l'aider. B lui explique la cause de la dispute. Soudain C arrive (scène de reproches). A trouve le moyen de calmer C, qui sort. A réfléchit et trouve un moyen pour réconcilier B et C ; il l'expose à B, qui sort, etc.

Jouez cette scène en inventant le texte et en insistant sur les émotions et les passages mimés.

Méthode ▶ ***Comment inventer un décor de théâtre***

La décoration théâtrale fut longtemps limitée à la présence, en fond de scène, de toiles colorées ou de constructions en bois peintes créant une perspective architecturale ; le décorateur n'avait qu'à évoquer le lieu de l'action. De nos jours, le décor n'est qu'un aspect du dispositif scénique – conçu par un scénographe – qui inclut aussi les costumes, la lumière, le son, les images projetées, les accessoires et même le rapport scène/salle. Inventer un espace fictionnel suppose de se demander comment on voit la pièce et quelle vision d'ensemble on veut en donner (couleurs, lumières) ; pour avoir des idées, il est possible de consulter des images (photos, peintures), de faire des croquis, des copier-coller, des sélections d'objets…

ÉTUDE DE L'ŒUVRE

Le mariage arrangé

LECTURE

Lecture d'ensemble (Œuvre intégrale)

1. Récapitulez quels sont les couples qui apparaissent dans la pièce et les problèmes qu'ils rencontrent ; cherchez quelques ressemblances et différences entre les principaux personnages mariés ou à marier.

2. La pièce présente l'histoire de trois femmes (Martine, Jacqueline et Lucinde) victimes d'un homme ; quel est cet homme pour chacune d'elles et en quoi fait-il obstacle à leur bonheur ?

3. Relevez dans chaque acte une scène qui lie les thèmes du mariage et de l'argent.

4. Quels sont les deux camps qui s'opposent sur la question de savoir quelle est la meilleure forme de mariage ? Résumez en une ou deux phrases les idées défendues par chaque camp.

5. Montrez que la pièce expose les conséquences négatives des mariages forcés.

6. Sganarelle est marié ; quel est son comportement vis-à-vis de son épouse, de l'épouse de Lucas, et des amoureux ?

Lecture linéaire (Acte III, scènes 8, 9 ,10 ,11)

7. Quels sont les couples réunis dans cette suite de scènes ?

8. Dans les scènes 8, 9, 10 se succèdent trois personnages (un mari, le père d'une fille à marier, une épouse) que Sganarelle a offensés et qui sont déterminés à le voir puni ; de quoi exactement veulent-ils se venger ?

9. Quelle punition attendent les trois personnages dans les scènes 8, 9 et 10 ?

10. Dans les scènes 8, 9 et 10, Sganarelle est brusquement vaincu et défait ; montrez qu'il n'est plus le maître des gestes, des paroles et des situations et que même son caractère ne fait plus rire.

11. Dans la scène 11, quel obstacle, en disparaissant, rend le mariage de Lucinde et Léandre soudain possible ? De quel genre de mariage s'agit-il ?

12. Vers quelle sorte de dénouement s'orientaient les scènes 8, 9 et 10 ? Quel profit Sganarelle tire-t-il de la scène 11 ?

Lecture d'image

Un mariage d'argent,
gravure anonyme
(XVIIe siècle).

13. Quelle erreur orthographique volontaire contient la phrase suivante : « Pour se marier on balance a qui aura plus d'opulance » et pourquoi ?

14. De quel côté se trouve l'argent ? Que regarde la mariée ?

Étude de la langue (Acte III, scènes 8, 9, 10, 11)

Grammaire

15. Trouvez dans la scène 9 une interrogation totale et une interrogation partielle.

16. Relevez et identifiez les déterminants dans la dernière réplique de la pièce (page 72, l. 344).

Orthographe

17. Page 72, l. 336-337 : « Oui, c'est toi qui m'as procuré je ne sais combien de coups de bâton. » Expliquez la graphie « as ».

EXPRESSION

Expression écrite

18. Lucinde écrit une lettre à sa meilleure amie pour lui raconter comment elle a réussi à épouser Léandre (utilisez l'encadré méthode).

Expression orale

19. Élaborez votre illustration idéale du *Médecin malgré lui* et préparez-vous à défendre votre travail devant la classe.

NOTIONS LITTÉRAIRES
Le dénouement

On appelle ainsi **la partie terminant la pièce** dans laquelle est éliminé l'obstacle ou le conflit qui empêchait le héros d'atteindre son but, et la nouvelle situation qui en résulte. Celle-ci doit correspondre à **un retour à l'ordre** et laisser prévoir l'avenir de tous les personnages principaux. En général, un dénouement est bref et semble l'aboutissement logique et prévisible des actions qui ont été représentées au public. Parfois, l'auteur préfère opter pour un dénouement très artificiel et arbitraire – comme dans la dernière scène de cette pièce –, dû à l'intervention d'un fait (reconnaissance, héritage) ou d'un personnage (Louis XIV à la fin de *Tartuffe*, 1669) extérieurs. À l'approche du dénouement, la tradition veut que l'auteur fasse en sorte de **réunir sur scène tous les personnages**, en vue de préparer les salutations au public ; mais dans *Le Misanthrope* (1666), par exemple, Molière choisit au contraire de faire partir tour à tour tous les personnages…

Méthode ▶ *Comment résumer une intrigue de théâtre*

Dans une pièce de théâtre, un héros doit affronter un **obstacle** majeur qu'il réussit ou non à vaincre à la fin. Pour reconstituer l'histoire d'un héros de théâtre, appelée l'intrigue (du latin *intricare* « embrouiller »), on se base sur la construction de la pièce, toujours articulée en trois parties : la ou les scènes d'**exposition** présentant la situation initiale, le cadre, les caractères ainsi que le désir du héros ; la ou les scènes du **nœud** où il est en difficulté face à l'obstacle (ou une série d'obstacles) ; la ou les scènes du **dénouement** où il est vaincu ou gagnant. Résumer l'intrigue consiste simplement à résumer ces trois moments.

ÉTUDE DE L'ŒUVRE

1. Fabliau

ANONYME, *Le Vilain Mire (Le Paysan médecin)*
(XIIIᵉ siècle)

– Vous n'irez pas si loin que vous pensez, car mon mari est bon médecin, je vous le dis et vous le jure : il s'y connaît mieux en remèdes et en évaluation des urines qu'Hippocrate lui-même.

– Dame, vous plaisantez ?

– Je n'ai pas l'esprit à la moquerie. Mais il a un sale caractère. On est obligé de le battre si on veut obtenir de lui quelque chose. Il refusera de guérir Damoiselle Ade si vous ne lui administrez pas quelques coups de bâton.

– On pourrait s'en charger, dirent-ils. Il aura sa bonne part. Où peut-on le trouver, dame ?

– Il est aux champs. [...]

Les deux éperonnent leurs montures et trouvent le vilain. Ils le saluent au nom du roi, et lui disent de les accompagner sans plus tarder.

– Pourquoi faire ? demande le vilain.

– Pour le grand don que vous avez. Il n'y a pas meilleur médecin que vous sur cette terre. Nous sommes venus de loin vous chercher.

Quand le vilain s'entend appeler médecin, son sang se met à bouillir. Il dit qu'en médecine, il ne connaît rien de rien.

– Qu'avons-nous besoin d'attendre ? dit l'un des messagers à son compagnon. Tu sais qu'il veut être battu avant de bien dire et bien faire.

QUESTIONS

1. Dans quelles scènes Molière s'inspire-t-il de ce récit médiéval ?

2. Relevez quelques ressemblances et différences entre ce récit et la pièce.

2. Théâtre

JULES ROMAINS (1885-1972), *Knock ou le triomphe de la médecine* **(1923), Acte II, scène 1.**

KNOCK. – De quoi souffrez-vous ?

LE TAMBOUR[1]. – Attendez que je réfléchisse ! (*Il rit.*) Voilà. Quand j'ai dîné, il y a des fois où je sens une espèce de démangeaison ici. (*Il montre le haut de son épigastre[2].*) Ca me chatouille, ou plutôt, ça me gratouille.

KNOCK, *d'un air de profonde concentration.* – Attention. Ne confondons pas. Est-ce que ça vous chatouille, ou est-ce que ça vous gratouille ?

LE TAMBOUR. – Ca me gratouille. (*Il médite.*) Mais ça me chatouille bien un peu aussi.

KNOCK. – Désignez-moi exactement l'endroit.

LE TAMBOUR. – Par ici.

KNOCK. – Par ici…où cela, par ici ?

LE TAMBOUR. – Là. Ou peut-être là… Entre les deux.

KNOCK. – Juste entre les deux ?… Est-ce que ça ne serait pas plutôt un rien à gauche, là, où je mets mon doigt ?

LE TAMBOUR. – Il me semble bien.

KNOCK. – Ca vous fait mal quand j'enfonce mon doigt ?

LE TAMBOUR. – Oui, on dirait que ça me fait mal.

KNOCK. – Ah ! ah ! (*Il médite d'un air sombre.*) Est-ce que ça ne vous gratouille pas davantage quand vous avez mangé de la tête de veau à la vinaigrette ?

LE TAMBOUR. – Je n'en mange jamais. Mais il me semble que si j'en mangeais, effectivement, ça me gratouillerait plus.

---

1. *Le tambour (de ville) :* employé communal (garde-champêtre)qui faisait des annonces au son du tambour.

2. *Épigastre :* partie de l'abdomen située entre les côtes et l'estomac, appelée familièrement « creux de l'estomac ».

KNOCK. – Ah ! ah ! très important. Ah ! ah ! Quel âge avez-vous ?

LE TAMBOUR. – Cinquante et un, dans mes cinquante-deux.

KNOCK. – Plus près de cinquante-deux ou de cinquante et un ?

LE TAMBOUR, *il se trouble peu à peu.* – Plus près de cinquante-deux. Je les aurai fin novembre.

KNOCK, *lui mettant la main sur l'épaule.* – Mon ami, faites votre travail aujourd'hui comme d'habitude. Ce soir, couchez-vous de bonne heure. Demain matin, gardez le lit. Je passerai vous voir. Pour vous, mes visites seront gratuites. Mais ne le dites pas. C'est une faveur.

LE TAMBOUR, *avec anxiété.* – Vous êtes trop bon, docteur. Mais c'est donc grave, ce que j'ai ?

QUESTIONS

1. Le tambour de ville se sent-il vraiment malade au début de la consultation ? Et à la fin ? Justifiez votre réponse.

2. Comment Knock parvient-il à se faire passer pour un bon médecin et à faire croire au tambour qu'il est malade sans le savoir ?

---

3. Dessin de presse

Pancho, 2006. *Illustration d'un article de journal intitulé « La loi HPST[1] signerait-elle la mort de l'hôpital public ? »*

QUESTIONS

1. Définissez ce qu'est un dessin de presse. Quel thème commun traitent ce dessin de presse et l'article qu'il illustre ?

2. Avec quoi veut payer la vieille dame ? Pourquoi ?

3. Expliquez la réponse du médecin. Quelle critique Pancho fait-il aux médecins en général ?

---

1. *HPST :* Hôpital Patients Santé Territoire.

LEXIQUE

A

Acmé : point le plus fort de la crise, paroxysme.

Acte : divisions de la pièce, en trois ou cinq mouvements, à l'époque classique.

Action : ce qui se produit sur scène.

Anaphore : procédé d'écriture qui répète un même mot, une même construction en début de phrase ou de proposition.

Aparté : propos tenus par un personnage à part des autres, pour qu'ils ne soient pas entendus d'eux.

Argument : idée servant à défendre un point de vue, une façon de penser.

B

Bienséances : ensemble des règles qui, dans une pièce classique, interdisent la représentation d'actions violentes sur scène.

C

Catharsis : effet de « purification », de « soulagement » des passions, provoqué par la représentation de celles-ci sur scène (mot du vocabulaire tragique).

Commedia dell'arte : comédie italienne inspirée de la comédie latine, fondée sur des « caractères » typiques et l'improvisation. Arlequin, Scapin, Pantalone, Polichinelle sont des figures de cette comédie italienne.

Comédie : pièce mettant en scène des bourgeois ou des gens du peuple, dont le caractère, la situation, doit faire rire.

Comique : procédé visant à faire rire (comique de situation, de gestes, de mots, de répétition, de caractère).

Coup de théâtre : péripétie qui modifie ou retourne soudainement le cours de l'action.

D

Dénouement : moment de la pièce où les « nœuds » se défont, où les conflits d'intérêt se résolvent.

Didascalie : indication scénique, qui renseigne sur le jeu des acteurs. Vient du nom donné, dans la Grèce antique, à celui qui enseignait.

Double énonciation : message qui s'adresse à deux destinataires distincts dans la même situation d'énonciation.

Drame : toute pièce de théâtre (du grec *drama*, action).

E

Échange argumentatif : dialogue dans lequel des personnages défendent leur point de vue, prennent position, en échangeant des arguments accompagnés d'exemples.

Exposition (scènes d') : les premières scènes de l'acte I qui présentent les personnages, leurs projets, leurs interrogations et leur situation.

F

Farce : pièce d'origine latine qui vise à faire rire par le comique de gestes et de situation.

I

Intrigue : « histoire » construite par l'action des personnages.

M

Mise en abyme : procédé du « théâtre dans le théâtre », qui met un personnage dans une situation de jeu, de « déguisement ».

Monologue : paroles d'un personnage seul en scène, qui font connaître ses pensées, ses sentiments.

N

Nœud : moment de la pièce où apparaissent, où se « nouent » les conflits entre les personnages.

P

Protagonistes : étymologiquement, ceux qui jouent le premier rôle ; par extension, personnages principaux d'une pièce.

Q

Quiproquo : confusion, malentendu sur une identité, un objet, une situation (du latin *qui*, quelqu'un, *pro*, à la place de, et *quo*, quelqu'un d'autre).

R

Règle des trois unités : règles de composition du théâtre classique, selon lesquelles l'action se passe en un seul lieu et en une journée. L'action elle-même doit avoir une unité.

Réplique : propos des personnages, unité du dialogue théâtral.

S

Scène : division de l'acte. Une scène commence avec l'entrée des personnages et se termine avec leur sortie.

Schéma actantiel : représentation des rapports de force entre les personnages.

Stichomythie : répliques très courtes, qui se répondent de façon serrée et très rapide. Elles correspondent à une acmé dans la tension.

T

Tirade : longue réplique.

Troupe : groupe constitué de comédiens qui ont un projet commun, qui travaillent et jouent ensemble.

Tragédie : pièce qui met en scène les passions et les faits héroïques de personnages nobles, victimes de la fatalité. L'issue est la mort d'un ou de plusieurs personnages.

Classiques & Patrimoine

Conception graphique : Muriel Ouziane et Yannick Le Bourg

Édition : Béatrix Lot

Illustrations des frises : Benjamin Strickler

Réalisation : Nord Compo, Villeneuve-d'Ascq

Crédits iconographiques : couverture, rabats : © Leemage – Cadre : fotolia.com – p. 4 : © Josse/Leemage – p. 77 : © Leemage – p. 78 : © Bridgeman Art Library – p. 81 : © Leemage – p. 83 : © AKG Images – p. 93 : © Pancho.

© Éditions Magnard, 2012.
www.classiquesetpatrimoine.magnard.fr

Achevé d'imprimer en juin 2012
par «La Tipografica Varese S.p.A.»
Nº éditeur : 2012-0525
Dépôt légal : juin 2012

Certifié PEFC
Ce produit est issu de forêt gérées durablement et de sources contrôlées
PEFC/18-31-264   www.pefc-france.org

The Story of Our Holidays

MARTIN LUTHER KING JR. DAY

Joanna Ponto and Carol Gnojewski

Enslow Publishing
101 W. 23rd Street
Suite 240
New York, NY 10011
USA
enslow.com

To Dr. Charles Johnson for his inspiration and guidance,
and to my family and friends for their love and support

Published in 2017 by Enslow Publishing, LLC.
101 W. 23rd Street, Suite 240, New York, NY 10011

Library of Congress Cataloging-in-Publication Data

Names: Ponto, Joanna, author. | Gnojewski, Carol, author.
Title: Martin Luther King Jr. Day / Joanna Ponto and Carol Gnojewski.
Description: New York, NY : Enslow Publishing, [2017] | Series: The story of our holidays | Includes bibliographical references and index. | Audience: Grades 4-6.
Identifiers: LCCN 2016021786| ISBN 9780766083424 (library bound) | ISBN 9780766083400 (pbk.) | ISBN 9780766083417 (6-pack)
Subjects: LCSH: Martin Luther King, Jr., Day—Juvenile literature. | King, Martin Luther, Jr., 1929–1968—Juvenile literature. | African Americans—Biography—Juvenile literature. | Civil rights workers—United States—Biography—Juvenile literature. | Baptists—United States—Clergy— Biography—Juvenile literature. | African Americans—Civil rights—History—20th century—Juvenile literature.
Classification: LCC E185.97.K5 P65 2017 | DDC 323.092 [B] —dc23
LC record available at https://lccn.loc.gov/2016021786

Printed in China

To Our Readers: We have done our best to make sure all websites in this book were active and appropriate when we went to press. However, the author and the publisher have no control over and assume no liability for the material available on those websites or on any websites they may link to. Any comments or suggestions can be sent by e-mail to customerservice@enslow.com.

Portions of this book originally appeared in the book *Martin Luther King, Jr., Day: Honoring a Man of Peace.*

Photo Credits: Cover, p. 1 Francis Miller/The LIFE Picture Collection/Getty Images; p. 4 © iStockphoto.com/karenfoleyphotography; p. 6 Martin Mills/Hulton Archive/Getty Images; p. 9 © Glasshouse Images/Alamy Stock Photo; pp. 11, 18 William Lovelace/Hulton Archive/Getty Images; p. 12 Dinodia Photos/Hulton Archive/Getty Images; pp. 14, 16 Don Cravens/The LIFE Images Collection/Getty Images; p. 20 Robert W. Kelley/The LIFE Picture Collection/Getty Images; p. 22 AFP/Getty Images; p. 24 Time & Life Pictures/The LIFE Picture Collection/Getty Images; p. 26 The Washington Post/Getty Images; p. 27 MSPhotographic/Shutterstock.com; p. 29 photos by Cheryl Wells.

Contents

The National Civil Rights Museum in Memphis, Tennessee, was built around the Lorraine Motel, where Martin Luther King Jr. was shot.

Chapter 1

Civil Rights

Certain individuals throughout our nation's history have fought for the equal treatment of all people. Some people have been discriminated against based on the color of their skin. Luckily, there were people who decided things needed to change. These people were civil rights leaders. Civil rights leaders are people who make sure that the laws of the United States are fair for everyone. There are photos of famous civil rights leaders all over the walls of the National Civil Rights Museum in Memphis, Tennessee.

The museum used to be a motel. In one room, there are statues of civil rights leaders holding banners and signs. They show what it must have been like to march in a crowd for peace. Another room tells the stories of black children in

This photo of Martin Luther King Jr. was taken a year before he died.

Arkansas in the 1950s. They needed police to guard them when they went to white schools. In yet another room, there is a full-sized city bus. Visitors can get on the bus and sit down. But nobody can sit in the seats near the front. The loud voice of the bus driver tells people to move to the back. All these things help us to understand the history of blacks and whites in America. They show how civil rights leaders helped to make history.

The main area in the museum is quiet. It shows Room 306 of the motel and the balcony of Room 307. A red and white wreath hangs from the balcony rail. Something terrible happened there. It was there that Dr. Martin Luther King Jr. spent the last hours of his life.

From the balcony, he could see the doors and windows of other motel rooms. Stairs led to the parking lot below. On April 4, 1968, friends and people who believed in what he was doing went there to meet with him. While King was speaking to them, he was shot and killed.

Martin Luther King Jr.'s death shocked people of all races. He was a husband with four small children: Yolanda, Martin, Dexter, and Bernice. He was a minister, a thinker, and a civil rights leader. He worked for peace and equal rights for all people. Every year on the third Monday of January, we give thanks for his life and his ideas.

Chapter 2

King's Early Years

Martin Luther King Jr. was born on January 15, 1929. Martin Luther King Jr. Day is celebrated around this date every year. His parents were Reverend Martin Luther King Sr. and Alberta King. Young Martin lived with his parents; his grandparents; some aunts and uncles; his brother, Alfred Daniel; and his sister, Christine.

Their home was in a place called Sweet Auburn. It was a black neighborhood in Atlanta, Georgia. Today, people can visit the house and see how he lived. It is part of the Martin Luther King Jr. National Historic Site. Two blocks away is the Ebenezer Baptist Church. It is also part of the national park. The church was a second home for King. He would sit in the wooden pews and listen to his father preach.

Martin Luther King's family called him "M. L." Here, he is pictured with his wife and family as he accepts the Nobel Peace Prize.

His father was minister of the church. He was also a leader in the neighborhood. He spoke to everyone about pride and self-respect. At home, he was strict. He made Martin earn his own allowance money. He taught him to work for what he wanted.

Martin Luther King Jr. grew up during a time when many people did not have jobs. He knew many poor people. He saw that, in the South, life was easier for most white people than it was for most black people.

His parents tried to explain what life in the South was like. There were laws that kept black people and white people apart. These were called Jim Crow laws. They told black people what they could and could not do.

Black people lived in different neighborhoods from white people. They could not go to some restaurants and stores. Public bathrooms, water fountains, and swimming pools for black people had signs on them marked "Colored."

Martin's parents did not agree with these laws. His father asked people to vote for better laws. He spoke out against laws and ideas that kept different races apart. He told his son, "I don't care how long I have to live with this system, I will never accept it." Martin's mother told

Signs like this were common in Martin Luther King Jr.'s time.

him not to think that he was less of a person because of his skin color. "You're as good as anyone else," she said. "And don't you forget it."

There were even different schools for black children and white children. They did not play or learn together. These were called segregated schools. Martin went to a segregated school. He was very smart. He skipped grades and went to college when he was just fifteen. Then, he went to a seminary. A seminary is a place where people learn to become ministers.

Gandhi was an activist in India famous for using nonviolent methods to bring about change.

Crozer Seminary was in Chester, Pennsylvania. There were no Jim Crow laws in Pennsylvania. King had white teachers and made white friends. As part of his studies, he read things from great thinkers who said that it was not wrong for people to disobey unfair laws. He learned about a leader from India named Mahatma Gandhi. Gandhi tried to change unfair laws peacefully.

King thought a lot about life in the South. He had his own plans for changing laws in peaceful ways. His father and grandfather had both tried to make things better. He remembered the words of his mother: "One man can make a difference."

Chapter 3

Bus Boycott

In 1954, Martin Luther King Jr. married Coretta Scott. They moved to Montgomery, Alabama, to work for the Dexter Avenue Baptist Church.

On December 1, 1955, a black woman named Rosa Parks got on the bus and sat down. The white section of the bus was full, so the bus driver ordered her to give up her seat for a white passenger. She was tired after working all day. She did not want to give up her seat. When she refused, the driver called the police. They came and took her to jail.

Parks was a member of the Montgomery branch of the National Association for the Advancement of Colored People

Rosa Parks rides on a newly integrated bus following the Supreme Court's ruling that ended the 381-day boycott led by King and his supporters.

(NAACP). This is a group that teaches people about equal rights. Many people were angry about her arrest.

Many black people in Montgomery did not have cars. Instead, they rode buses every day. They kept the buses full. But even when there were empty seats in the front, they had to sit in the back. They had to pay in front and get off the bus. Then, they would get back on the bus through a back door. Sometimes bus drivers would drive away before they could get back on.

Martin Luther King Jr. led a meeting in the Holt Street Baptist Church. He explained that there was not a white part and a black part of a city bus. The whole bus belonged to everyone. He and other black leaders put together the Montgomery bus boycott. They decided that it was time for black people to do something to help themselves. They put signs up that said, "People, don't ride the buses today. Don't ride it for freedom."

Montgomery blacks found ways not to have to ride the bus. Some people drove together in one car. Others walked, took cabs, or rode mules to get downtown. The boycott worked. The black people in Montgomery had come together. Buses were shut down. One year later, buses that separated black people and white people were against the law. People of all races could now sit together on buses.

Success was not easy. King and many other black leaders were arrested and put in jail. They had to pay fines and go to court. Black people were pulled out of cars and beaten. Churches were blown up.

Martin Luther King Jr. speaks to black leaders about his strategy for the bus boycott.

King's home was bombed. But he was very brave. He told his people not to fight back. He told them that the answer to hate was love.

For King and other black people around the country, the boycott was just a start. Many groups were formed to work for change. The Montgomery Improvement Association (MIA), the Southern Christian Leadership Conference (SCLC), and the Congress of Racial

Equality (CORE) were a few of these groups. Along with King, they set up marches. People walked through streets singing and carrying signs. They had prayer meetings to teach black people about their rights.

Students also formed civil rights groups. The Student Nonviolent Coordinating Committee (SNCC) planned sit-ins. At a sit-in, people sit on the floor or the ground to let people know that things have to change. Members of the SNCC sat down at restaurants and stores that were for whites only. They would not leave until they were noticed.

Not all white people wanted the laws to change. Civil rights workers were often scared that they would be hurt. Police followed them with guns and attack dogs. They sprayed water from fire hoses to stop people from marching. Some people were killed or badly hurt. There were men, women, and children of all ages in the jails in the South. Martin Luther King Jr. was arrested more than two hundred times.

Some people thought that change was happening too fast. King was asking them to think and live differently. Others thought that change was not happening fast enough.

Here, police are out in full force as Martin Luther King Jr. leads a peaceful march in support of black voting rights.

King tried to keep things peaceful. Before each march, he taught people to stay calm. Knives and other things that people brought with them for protection were taken away. King explained that nonviolence "is not a method for cowards." He wanted civil rights workers to fight only with their words and their minds. He did not want people to fight with their fists.

Chapter 4

"I Have a Dream"

Martin Luther King Jr. and the civil rights movement did many great things. Twice, civil rights groups brought thousands of people of all races together. The meetings were both in Washington, DC, the capital of the United States. The first gathering was called a Prayer Pilgrimage for Freedom. The second was called the March on Washington. At that time, it was the largest gathering of black people and white people in the United States.

On August 23, 1963, King made a speech. The speech was about his hopes and dreams for the future. It was later called the "I Have a Dream" speech. Slowly, the government started to try to make things better for black people. In 1957, the Civil

King delivered his "I Have a Dream" speech in front of a huge crowd after the March on Washington.

Rights Commission and the Civil Rights Division of the Department of Justice were created. These government groups make sure that everyone's rights are protected.

President Lyndon Johnson signed the Civil Rights Act in 1964. It made segregation illegal. In 1965, Congress passed the Voting Rights Act. This made it easier for all people to vote.

Martin Luther King Jr. won the Nobel Peace Prize in 1964. He was thirty-five years old. The prize is given each year to the person or group that brings the most peace to the world. King was the youngest man ever to win this prize. He accepted the award by thanking the many people who worked with him. He gave his prize money to civil rights groups. To King, the prize proved that using nonviolence is the best way to solve the world's biggest problems.

Television and news reporters followed King like he was a movie star. There were parties for him. His picture was on the cover of many magazines. Wherever he went, people tried to shake his hand or just stand near him. Other civil rights leaders had been doing the same things that King did. What made him so different?

When King spoke, people listened. He was a very good speaker. He knew how to say what many people felt in their hearts. King was a strong, brave man. He was a thinker and a dreamer. He was also a doer. King was always busy. He wrote books, articles, and speeches. King traveled all over the country to talk to people. He moved his family to poor neighborhoods and helped clean them up. Leaders from around the world met with him. They talked about how people of all races could live together in peace.

King shows reporters
his Nobel Peace Prize.

King knew that if a
law or an idea hurts
one person, it hurts
everyone. He spoke
out against war. He
spoke out against
military weapons. He
spoke out against laws
and ideas that kept
people in the United States poor. He dreamed of a country where
everyone worked together.

Chapter 5

Recognizing King

Today we give thanks for the life and works of Martin Luther King Jr. in many ways. Schools, counties, parks, libraries, and highways are named after him. His face is on a postage stamp. King's wife, Coretta, helped to create the Martin Luther King Jr. Center for Nonviolent Social Change. It is near the house where he was born in Atlanta.

The King Center buildings are filled with people who work for things he believed in. There are activities for kids and families. In the learning center, classes are offered for young people and adults. Martin Luther King Jr. is buried close by. He rests on an island in the middle of a pool of water.

Coretta Scott King was a civil rights leader along with her husband. She continued to fight for human rights until her death in 2006.

Four days after King's death, a bill was introduced to make King's birthday a federal holiday. It took fifteen years for the bill to become a law. Some people did not want to spend the money. Others said that it was a holiday just for black people. One congressman did not like what King had tried to do. Black leaders worked together to change people's minds. Three million people signed a petition in favor of the holiday. Still the bill did not become a law. But many states began to celebrate the holiday on their own. Schools and businesses closed on January 15. Workers took the day off. Singer Stevie Wonder wrote a hit song about the holiday called "Happy Birthday."

Coretta Scott King met with government leaders. She helped to get 750,000 people together in Washington, DC, to ask for a vote. On November 3, 1983, President Ronald Reagan signed the law. Martin Luther King Jr. Day was now an official national holiday!

The United States celebrated the first Martin Luther King Jr. Day on January 20, 1986. There were marches, parades, and candlelight gatherings. The King Center printed special cards with a holiday message that was the heart of King's message. The cards said, "I commit myself to living the dream of loving, not hating, showing understanding, not anger, making peace, not war."

But states do not have to follow federal laws right away. So not all states celebrated the holiday. Each state had to make its own state law. Arizona and New Hampshire were the last two states to do so. Arizona finally recognized the holiday in 1993. Children all over the state let thousands of balloons go to celebrate. It took six more years for New Hampshire to celebrate Martin Luther King Jr. Day.

In 1994, President Bill Clinton asked people to think of the holiday as "a day on and not a day off." He made the holiday a day for helping

Washington, DC, hosts an annual Martin Luther King Jr. Peace March and Parade.

others. He hoped people would pitch in and help neighbors who need it most. Coretta Scott King agreed with him. She thought that we should spend the day helping others, too. Her husband had once said, "You are where you are today because somebody helped you to get there."

Cooking on Martin Luther King Jr. Day
Peach Pie

Ingredients:

- 8-10 large ripe peaches
- 2 teaspoons cinnamon
- 1 teaspoon nutmeg
- ½ teaspoon ground ginger
- 1 teaspoon vanilla
- 1 tablespoon of flour
- zest of one lemon
- ½ cup brown sugar
- 1 egg
- 2 tablespoons of milk
- 1 pre-made pie crust

The peach is the official state fruit of Georgia, where King was born. Bake a delicious peach pie to celebrate his day.

Directions:

1.) Preheat oven to 350°F. Grease a 9-by-11-inch pie dish with butter.
2.) Carefully unfold the pie crust.
3.) Wash and peel the peaches. Cut them into segments (you can usually get about 6 segments per peach). Place the segments in a large bowl.
4.) Add spices, sugar, vanilla, flour, and lemon zest. Stir gently until the peaches are coated.
5.) Pour the peach mixture into the pie dish.
6.) Gently place the pie crust over the peach mixture. Press down very lightly so that the crust touches the tops of the peaches. If you have a little excess around the edge of the dish, just cut that off and discard.
7.) Using a fork, pierce a few holes in the top of the crust. This allows the steam from the cooking peaches to escape without the pie exploding in the oven!
8.) In a small bowl, beat the egg with the milk. Using a pastry brush, brush the top of the crust with the egg wash.
9.) Bake for thirty minutes or until the crust is golden brown and the peaches are soft on the inside.
10.) Serve with vanilla ice cream or fresh whipped cream, if desired.

* Adult supervision required.

Martin Luther King Jr. Day Craft

There are many problems to solve in our own neighborhoods. On his day, think about the people in your neighborhood. Whom do you meet every day? Do you get along? What might you do to live together better? Whom do you call family? Create a Circle of Friendship as a way to thank the people you love and care about.

Here are the supplies you will need:

2–3 pieces of construction paper (any color)
colored crayons or markers
white glue
safety scissors

Directions:

1. Trace around one of your hands with a crayon on a piece of construction paper. Help your family and friends trace each of their hands onto paper, too.

2. Use the scissors to cut out the hands.

3. Write names in the center or palm. Make hands for other friends, relatives, and neighbors you would like to include.

4. List ways that they show their friendship and love to you on each hand.

5. Glue the finished hands together to form a circle.

6. When the glue is dry, hang the Circle of Friendship on a door of your home.

Circle of Friendship

*Safety Note: Be sure to ask for help from an adult, if needed, to complete this project.

Glossary

boycott To come together and refuse to do or buy something. It is a way of protesting something unfair.

civil rights Basic human rights that are guaranteed to all citizens by law.

equality Same or equal treatment.

federal The government of a country.

injustice A wrong done to a group or a person.

minister Someone who leads religious services in a church.

petition A written request asking for something to change.

race A group of people with a common background; black people and white people are considered to be of different races.

racism Treating people differently because of their race.

segregation To separate groups of people by race.

seminary A school that teaches people how to become ministers.

sermon A religious speech.

strike Workers refusing to go to work. This is usually done to try to get better working conditions.

Learn More

Books

Jazynka, Kitson. *Martin Luther King Jr.* Washington, DC: National Geographic Children's Books, 2012.

Meltzer, Brad. *I Am Martin Luther King Jr.* New York, NY: Dial Books, 2016.

Rappaport, Doreen. *Martin's Big Words.* New York, NY: Hyperion Books for Children, 2007.

Websites

Holidays on the Net: Martin Luther King Jr. Day
www.holidays.net/mlk/
   Learn about Martin Luther King Jr. and the civil rights movement.

FamilyEducation: Martin Luther King Day
familyeducation.com/topic/front/0,1156,1-4644,00.html

Facts, activities, and resources for ways to celebrate Martin Luther King Jr. Day and black history month

National Geographic Kids: Martin Luther King, Jr.
kids.nationalgeographic.com/explore/history/martin-luther-king-jr/
   An article on Martin Luther King Jr. and the civil rights movement.

Index